AU PAYS DE MES RACINES

suivi de

AU PAYS DE MOUSSIA

DU MEME AUTEUR

Aux Editions Julliard :

ECOUTEZ LA MER, 1962.
LA MULE DE CORBILLARD, 1964.
LA SOURICIÈRE, 1966.
CET ÉTÉ-LÀ, 1967.

Aux Editions Grasset :

LA CLÉ SUR LA PORTE, 1972.
LES MOTS POUR LE DIRE, 1975.
AUTREMENT DIT, 1977.
UNE VIE POUR DEUX, 1979.

MARIE CARDINAL

AU PAYS DE MES RACINES

suivi de

AU PAYS DE MOUSSIA

par Bénédicte Ronfard

BERNARD GRASSET
PARIS

IL A ETE TIRE DE CET OUVRAGE VINGT-QUATRE EXEMPLAIRES SUR VELIN CHIFFON DE LANA, DONT DIX EXEMPLAIRES DE VENTE NUMEROTES VELIN CHIFFON DE LANA 1 A 10 ET QUATORZE HORS COMMERCE, CONSTITUANT L'EDITION ORIGINALE

Nécessité de partir là-bas. D'y retourner.

Là-bas, y : l'Algérie, Alger.

Pourquoi?

Il me semble que toutes les réponses que je donnerai maintenant à ce pourquoi seront insuffisantes. Les racines, le souvenir, la mémoire, l'enfance, la jeunesse... bien sûr. Mais quoi encore?

Je ne sais pas et je ne suis pas certaine de pouvoir jamais donner aucune explication à mon retour. Ce que je vais chercher n'appartient pas, je crois, à l'ordre de la raison.

Ce ne sont pas les maisons que j'ai habitées qui m'attirent, non plus que les lieux où se recomposeront les fantômes qui errent dans mon oubli ajouré. Non, c'est quelque chose qui vient de la terre, du ciel et de la mer que je veux rejoindre, quelque chose qui, pour moi, ne se trouve que dans cet endroit précis du globe terrestre. Je suis, actuellement, incapable d'imaginer ce que c'est.

Peut-être des creux, des tourbillons liquides, des vides, où, au long de mon enfance et de mon adolescence, je m'engloutissais.

Bruissement sec des feuilles d'eucalyptus agitées par le vent du désert. Tintamarre des cigales. La sieste. La chaleur fait bouger le paysage. Rien n'est stable, tout est éternel. Le ciel est blanc. Pourquoi est-ce que je vis? Qu'est-ce que c'est que la vie?

Vivre ailleurs que là a changé pour moi le sens du mot vivre. Vivre ailleurs est devenu synonyme de besogner ma vie, organiser ma vie, structurer ma vie, prévoir ma vie. Là-bas, vivre c'était vivre, c'était se livrer aux mouvements coutumiers de l'humanité sans en souffrir; s'en plaindre ou s'en réjouir, mais les acceptant tels qu'ils sont.

Depuis que je ne vis plus en Algérie, il n'y a pour moi que labeur, vacances, luttes. Il n'y a plus d'instants où, sans restriction, je suis en parfaite harmonie avec le monde.

Le soir vient, il fait moins chaud, on a arrosé, c'est une délivrance. Une chaise devant la porte, sur la terre battue où des fourmis couraillent, le ciel est rose. Je suis la chaise, le seuil, la fourmi. Pas un grain de ce sol que je ne connaisse, dont l'apparence ne soit depuis longtemps dépassée à force d'être proche et familière et n'indique autre chose : l'heure, le temps qu'il a fait, la saison... Pas une ombre, pas un bruit, pas un souffle qui ne me signifie la durée infinie et la pérennité de mon être là, à cette place, où chaque élément est indispensable au moment et où je suis indispensable à chaque élément.

Plus jamais ce repos oublieux.

Désormais une vie conforme aux manuels de psychologie, de physiologie, de sociologie. Heureuse-malheureuse. Agréable-désagréable. Passionnée-ennuyeuse. Violente-douce. Comme une vie d'humaine homologuée. Mais dans un cadre qui n'est plus mon complice, mon complément, mon inspirateur, ma source, mon bassin, même quand il ressemble beaucoup à celui de ma vie algérienne.

Barded a le tarbouch de travers. Avec sa matraque noueuse il cogne contre les troncs des oliviers. Il n'est pas content, il a vu des chèvres au loin. Des chèvres étrangères qui dévalent la colline en compagnie de leur petit gardien au cul nu et qui vont se perdre derrière les vallons de l'horizon.

« La pisse des chèvres tue la vigne pour dix ans. »

Dix ans. La vigne. Les chèvres. La pisse. Tuer.

Ces mots avaient un sens particulier. Ils ne pouvaient pas entrer dans le dictionnaire. C'étaient ces dix ans-là, cette vigne-là, ces chèvres-là, cette pisse-là, cette mort-là. Là. Là où je suis née. Rien ne ressemble à ça. Nulle part ailleurs ce ne sera là. Et personne d'autre que Barded ne prononcera cette phrase comme ça. Il n'y a que Barded à être Barded.

Que la pisse des chèvres tue la vigne pour dix ans (c'est-à-dire pour toujours car il faut arracher cette vigne, en planter une nouvelle qui mettra dix ans à produire autant que celle qu'on vient de supprimer) est un phénomène chimique, végétal, animal, humain, qui m'intéresse, qui peut m'inquiéter, mais qui ne m'attaque pas personnellement. Tandis que là, cette fois-là, et devant Barded... j'ai compris comment naît la guerre.

Barded était un homme parfaitement intègre. Sa vie ressemblait à son corps qui était très clair. La peau claire, les yeux clairs, les cheveux clairs.

La djellaba, la gandoura, le tarbouch, blancs. Les pieds et les mains secs et pleins de nouures comme des sarments de vigne.

A qui sont ces chèvres? A des traîne-savates certainement, à des nomades, des bons à rien qui vivent sur le dos des autres comme la vermine vit sur leur propre dos. *Beni kelb*! Fils de chien!

La colère de Barded est aussi haute que la montagne, aussi terrible qu'un orage. Je sens des éclairs passer de sa main à ma main qu'il tient serrée. Il descend l'allée des oliviers à grandes enjambées. Il fait des moulinets dans l'air avec son gourdin pour signifier qu'il va briser l'échine de ces crève-la-faim. La guerre est déclarée, il n'y a pas à dire!

A part sa phrase sur les chèvres, il n'a rien proféré d'autre. Mais mon cœur bat. C'est que l'insulte est grande : la vigne nous fait tous vivre, lui et sa famille, moi et la mienne. On ne touche pas à la vigne, c'est sacré.

Le cheval de Barded est blanc, il est attaché par la bride à une branche d'eucalyptus. Barded me hisse sur la selle arabe brodée, creuse. Je m'agrippe au haut pommeau pendant qu'il s'installe derrière moi, les pieds dans les étriers qui ressemblent à des coffres ouvragés, le dos bien droit contre le dossier, et en avant!

Jeunes feuilles bonnes à brouter, vallons de leurs verdures, partout. Belle, belle terre. Mottes rouges. Les bras de Barded, les cuisses de Barded me font une corbeille. Mahomet aussi avait un cheval blanc ailé.

Vingt-quatre ans bientôt que j'ai quitté ma terre. Vingt-quatre ans qu'elle me manque. Vingt-quatre ans que ce manque est un vertige, un vertigineux gouffre par où tout passe : la mort, l'amour, la liberté, la politique, le politique, le corps, la réflexion, la faim, l'histoire, le moi, le tu, le vous, la maison, la rue... tout.

Et dites-moi, belles feuilles fraîches de la vigne, qui vous a donné les éventails que vous agitez dans les matins tièdes d'avant l'été? Dites-moi, feuilles anciennes, pareilles à celles d'aujourd'hui, quel est votre magique pouvoir? Qu'est-ce qui fait que, au-delà de l'Histoire infâme, je n'ai pas de honte à vous aimer? Qu'est-ce qui fait que nous ne nous sommes jamais entretrahies et que nous sommes pourtant séparées? Pourquoi ai-je été exilée loin de vous?

La question est terrible, j'en connais la calamiteuse réponse.

Cavalcader. Grimper les vallons, les descendre. Le vignoble jusqu'au bord du ciel. Dans un creux les bâtiments de la ferme, sa cave et ses jardins foisonnants. En haut d'une première colline la forêt de lentisques, de genêts et de pins maritimes. Dans ces rondeurs ouvertes et lisses, des lignes droites : les allées d'oliviers ou d'eucalyptus par où passent les hommes et leurs machines afin de féconder la terre. Les voies du travail mais aussi celles de la surveillance de la propriété.

La propriété... oui, je sais.

Les terres étaient grandes là-bas. Les fermes étaient des pays.

Encore des vallons. Le cuir de la selle rouge crisse régulièrement au rythme de la course. Le cheval de Barded souffle par ses naseaux, de temps en temps, des sortes d'encouragements à continuer la chevauchée. Nous atteignons des vignes lointaines où je ne vais jamais. Celles vers lesquelles, aux vendanges, les ouvriers doivent partir dès quatre heures du matin pour que leur charroi de pastières soit à pied d'œuvre au lever du soleil. Ici il n'y a aucun arbre, aucune ombre, rien que de la vigne en longues rangées régulières.

Encore le versant d'une colline et, en haut, l'arrêt brutal. Comme nous devions être beaux,

Barded, le cheval et moi, droits dans le ciel bleu!

Beaux et effrayants aussi à en juger par la panique qui s'empare, dès qu'elle nous voit, de la tribu installée là.

C'est bien ça, des nomades, des miséreux; une vingtaine, hommes, femmes, enfants, avec leurs chèvres et leurs bourricots. Ils ont dressé deux tentes basses et la fumée de leur feu monte, maigrichonne. Ils piaillent déjà, sans que Barded ait rien dit, ils se mettent à emballer leur fourniment.

Mais ils peuvent faire semblant de partir et se réinstaller dès que nous aurons tourné les talons. Barded prévoit le coup. Alors il décide de descendre jusqu'à eux directement, en prenant la pente la plus forte. Le chemin est raide, la terre est meuble, fraîchement labourée, le cheval donne de grands coups de reins pour garder son équilibre, ce qui lui donne un aspect belliqueux. Il faut que la descente soit majestueuse et puissante. Une fois en bas, Barded flanque des coups de bâton dans le campement fait de loques, de bandes rapiécées de lainages épais et disparates. Ça sent la fumée et la crotte. En dix minutes le camp est défait, chargé sur les ânes, sur le dos des hommes et des femmes dont les petits, pleins de morve, des mouches collées aux yeux, pleurnichent. Barded fait caracoler et piaffer son cheval pendant tout ce temps. Je n'ai rien à craindre, je le sais. Je regarde la justice se faire.

D'ailleurs il n'y a pas de discussion, aucun mot échangé. Rien, ils s'en vont.

Barded descend de cheval. Je le vois qui inspecte la terre, la vigne, les dégâts. Il marmonne : chien, chienne, chien galeux! *Kelb, kelba, beni kelb! Rla,* merde.

Jusqu'où divaguent les racines du corps? Et celles de la pensée donc!

Barded était un employé de ma famille. De cette terre, qu'il défendait jusqu'à frapper cruellement quiconque essayait de la souiller, il ne possédait qu'un tout petit lopin bien loin de l'endroit où les chèvres avaient pissé.

Peut-être que, avant la conquête de l'Algérie par les Français, toute cette terre en friche appartenait à sa famille ou peut-être était-elle le domaine des tribus errantes dont les héritiers pouilleux ne savaient même plus où faire pisser leurs chèvres?

Etant petite je ne me posais pas cette question. Cette terre était à moi, c'était chez moi, depuis toujours. D'ailleurs je n'avais qu'à me référer aux portraits de famille et aux photos pour m'en persuader. Même les plus anciennes, même les daguerréotypes représentaient un grand-père, ou une grand-mère, ou un arrière-grand-père, et même plus, dans ces lieux où je vivais mon enfance. Les mêmes murs, les mêmes arbres, les mêmes vallons, la même vigne... et les mêmes Arabes.

Seuls quelques objets, quelques meubles embrillantés par l'âge, moins sauvages que ceux de l'artisanat local, témoignaient d'un autre passé, d'un avant, et pouvaient jeter le doute sur l'ancienneté de la propriété familiale et privée de cette campagne.

Mais il s'agissait d'une restriction qui ne poignait pas la conscience, une ombre plutôt, une pénombre même, une chapelle abandonnée, un lieu sacré lointain : la France, effacée mais vénérée, flottait en précieux filigranes d'or dans les tremblotements de la chaleur algérienne.

Le pays c'était ici, l'avenir c'était ici. La métropole c'était très loin et il y a très longtemps. Pour les guerres on lui donnait un coup de main, un fameux coup de main, c'était la moindre des choses. Après, on rentrait au pays.

La France faisait qu'on supportait moins bien les mouches que les « indigènes », qu'on s'habillait autrement, qu'on apprenait les fables de La Fontaine, qu'on avait des églises. La France créait la différence en nous haussant, puisque tout ce qui venait d'elle était « meilleur ». Loin de nous l'idée que ce « meilleur » était une culture. Idée plutôt que la France nous mettait des galons, une casquette, éventuellement un fusil entre les mains, elle nous conférait une force indiscutable — et indiscutée d'ailleurs... La chance d'être de cette « souche »-là! Les autres n'avaient pas cette chance. C'était pas plus compliqué que ça. La loterie quoi! Et *inch Allah!*

Ma famille n'était absolument pas politisée. Ou plutôt sa politique était celle de l'Eglise catholique et de la morale qui en découle. C'est-à-dire une politique qui s'apparente à l'extrême droite, une extrême droite saucée de charité (l'extrême droite et la charité ne vont-elles pas toujours ensemble?). Mais alors qu'est-ce qui faisait qu'ils n'étaient pas fascistes, qu'ils n'ont pas été pétainistes et qu'ils n'ont jamais, ni de près ni de loin, adhéré à l'OAS? La pitié, je crois, et une grande sensualité.

Famille, détestable enclos, pâturage empoisonné! Suffira-t-il de toute ma vie pour me désintoxiquer d'elle?

Famille, paradis qui m'apprenait à jouir de

l'eau, des parfums, des formes, des mouvements, des couleurs. Suffira-t-il de toute ma vie pour épuiser ces amours?

Caresse de la fine boue rouge qui glisse entre mes orteils, le soir, à l'heure de l'arrosage, en compagnie de Youssef, mon prochain, que j'aime comme moi-même.

Odeur d'encens à la première messe. Le jeune soleil passe entre les cuisses maigres du Jésus plombé dans le vitrail de l'église Sainte-Marie-de-Mustapha-Supérieur... Pour la noce du sacrifice, l'autel est paré des fleurs que ma mère a cueillies à l'aube dans le jardin délirant, ivre des odeurs nouvelles.

A la sortie, les mendiants agglutinés psalmodient leurs quêtes. Un sou à chacun. Un petit sou pour l'ulcère, un petit sou pour l'œil crevé, un petit sou pour la jambe coupée, un petit sou pour le glaucome, un petit sou pour les varices éclatées, un petit sou pour la gale... Dieu est plus grand qu'Allah, la preuve en est faite : il n'y a aucun chrétien parmi eux.

« Aimez-vous les uns les autres. »

Les enfants sont ignorants mais ils ont la connaissance. C'est ce qui fait qu'on les dit naïfs, c'est ce qui fait l'énormité de leurs questions.

— Pourquoi ils mendient, maman?

— Parce que ce sont de pauvres gens, ma chérie, des Arabes.

Il ne faisait pas bon être arabe dans mon enfance, ce n'était pas une situation d'avenir.

... Quand je vois aujourd'hui les présidents, les chefs d'Etat, les titrés, les honorés, faire des courbettes et des salamalecs devant des hommes en djellaba et en babouches, je crois rêver... Ça va vite l'Histoire en ce moment.

Hypocrisie, fausse innocence des photos d'Orientaux assis dans des Rolls-Royce, installés avec leur harem dans les suites des palaces occidentaux, jouant au golf, s'achetant des montres chez Cartier ou se payant des tableaux de Monet. Pas de commentaires. Pas besoin, le racisme diffus dans nos pays les fera de lui-même.

On profite de ce qu'ils ont de bon en faisant semblant de les prendre au sérieux, de les traiter à égalité et on se moque par-derrière.

Mais aujourd'hui ce qu'ils ont de bon coûte cher.

On aura tout vu!

Jusque-là ils s'étaient laissé piller pour pas un sou.

C'est le progrès.

Nous qui leur avons tout donné voyez comme ils nous le rendent, si c'est pas un malheur...

Rien n'a changé vraiment et, malgré les quelques efforts faits en France pour émousser le racisme trop coupant, la hiérarchie culturelle tranche toujours aussi bêtement et aussi aveuglément dans les pensées : En France, c'est mieux.

Pourquoi vouloir retourner là-bas, pourquoi écrire ces pages sinon pour essayer de comprendre l'équilibre ou le déséquilibre que créent en moi l'alliance ou la guerre de deux cultures? Mon désir, ma demande, mon exigence, ont cette prétention : je voudrais pouvoir être tranquillement bi-culturée sans que la névrose s'empare de ma personne bicéphale, sans que le reniement guillotine l'une de mes deux têtes, sans avoir à faire un choix impossible.

Ce n'est pas rien de vivre avec, emmêlés au fond de soi, le rythme nonchalant de la sieste algérienne et l'activité besogneuse des débuts d'après-midi français; les aubes ensoleillées et fraîches et les petits matins frileux percés du néon des bistros aveuglés de buée; les crépuscules qui deviennent rapidement la nuit, juste le temps de laisser les notes d'une flûte de roseau grimper jusqu'aux branches de l'olivier, et les soirées lumineuses de France qui s'étirent longuement, ni jour ni nuit, dans les bavardages avec les commerçants, sur les terrasses des cafés, comme si la vraie journée commençait là. Pouvoir laisser s'embrouiller les conversations divaguantes où passent les sensations, les émotions, les cris, la peur des esprits, la crainte amoureuse de Dieu, l'excitation de l'agora, et les raisonnements logiques où tout mot doit couler d'une réflexion pondérée et froide, raisonnable, et pour laquelle les sensations sont des tares. Les pieds nus qui tâtent le visqueux, le poudré, le doux et le pointu, les hanches qui balancent, les poignets et les chevilles qui tournent, les fesses et les seins sous les libres cotonnades qui frôlent... et les chaussures, les bas, les gants, les gaines, les vêtements importants qui cachent le corps, le déforment, et désignent l'état, la condition. Les mots qui poussent comme de la mauvaise herbe, ceux qui poussent comme des betteraves, en rang. La neige, le sable. Le matriarcat, le patriarcat. Les toits pentus, les terrasses. Mahomet et son cheval ailé, Jésus et sa croix. Jouir du temps qui passe, craindre le temps qui passe. L'instant, l'Histoire. Les maîtresses de Louis XIV, le coup d'éventail du dey. Les marronniers, les palmiers. Le couscous, le pot-au-feu. Le couteau, le revolver. Le corps à corps, la guerre. Laroulila, ladiguedondaine.

Jardins clos de hauts murs jaunes et de grilles rouillées, palmiers, néfliers, orangers, dorés de poussière, enguirlandés de glycines, de jasmins et de roses pompons, creux ombreux troués de soleil. Silence architecturé par les stridences des insectes et par le sourd travail de la chaleur qui fait se gonfler, se sécher et juter les végétations. Odeurs de vies et de morts. La chatte lourde traque les oiseaux de tous ses yeux jaunes, indifférente au grouillement des petits dans son ventre.

Il y a cinquante ans que je suis née dans ce jardin clos des mystères et de la clarté. Longtemps que vivre ailleurs, pour moi, est une aventure devenant insensée chaque fois que je perds la certitude de pouvoir retourner là-bas. Vertige. Mes racines flottent, elles manquent de terre, elles ne pourront longtemps encore rester branches ou rameaux. Besoin de mottes, besoin du sol, besoin de ce compact, pour que des ailes repoussent à mes désirs.

Ce jardin que je viens d'écrire, dehors,

derrière les persiennes tirées. Dedans la chaude obscurité de midi. L'enfant à table, les femmes autour d'elle la dressent. Pas les coudes sur la table, pas d'appui au dossier de la chaise, pas le couteau ni la fourchette en l'air, pas parler ni discuter. Mange, c'est bon pour toi. Tais-toi, c'est bon pour la digestion. Ne croise pas les jambes, serre-les. Remercie le Seigneur d'en avoir plein ton assiette. La polenta, c'est bon, la *chorba* c'est bon, surtout celle-là, elle n'est pas grasse du tout. Dis : « Merci Fatima. » On ne joue pas avec les couverts. On ne répond pas. On baisse les yeux. Est-ce qu'elle digère bien, cette enfant en ce moment? Oui madame. Finis ton assiette, il y en a qui n'ont rien à manger.

Assises, les femmes à éventail à regarder le repas de la petite fille. Debout, les femmes servantes à servir la petite fille. Toutes, servantes ou patronnes, à lui apprendre à devenir une femme. Un jour, tu auras un mari et tu devras le servir. Un jour, tu auras une maison et tu devras la tenir. Un jour, tu auras des enfants et tu devras les éduquer. Un jour, tu auras des domestiques et tu devras les commander. Un jour... un jour...

La chatte grise a attrapé l'oiseau, je l'ai entendu piailler. Trois petits cris étranglés pas plus fort que le chant des cigales mais avec de la peur en eux.

— Ça y est, la chatte a attrapé un oiseau.

— Ne t'occupe pas de ça, mange et tiens ton couteau par le manche. Est-ce que je m'occupe de la chatte, moi?

— C'est qu'elle va avoir des petits.

— Ça ne te regarde pas. On ne peut pas faire deux choses à la fois. Pour l'instant ce qui compte c'est que tu manges et comment tu manges. Et c'est tout. Et on ne parle pas à table. Quand tu auras un mari tu l'écouteras, et si tu parles comme ça, pour ne rien dire, tu le perdras, ma fille.

— A propos, Mimi, il faudra dire à Aoued qu'il noie les petits. Elle n'arrête pas d'en faire, cette chatte.

— Eh oui, la pauvre!

C'est plus tard, beaucoup plus tard que j'ai pris conscience du dressage et que l'envie m'est venue d'aller ailleurs. Mais pendant tout le temps de l'enfance les lois et les règles des Méditerranéennes qui m'entouraient sont entrées dans ma tête et dans mon corps sans qu'il me vienne à l'idée de les contester. Je désirais vivre la vie qu'on me prédisait. Je désirais ce mari, ces enfants, ces servantes, cette maison, pourvu qu'il y ait un jardin comme celui-là dehors. Or il n'y avait aucune raison pour qu'il n'y en eût pas un. Et même, si je me tenais bien, si j'obéissais, j'en aurais peut-être un encore plus grand, le même mais plus grand, avec encore plus de palmiers, plus de néfliers, plus de jasmins. J'avais une telle passion pour ces jardins que le reste ne me pesait guère. L'enjeu, dans ma tête, c'était : un jardin contre une bonne éducation. S'il fallait ça, je n'en discutais pas. C'est bien longtemps après que j'ai traduit les mots « jardin » et « éducation »...

Nourrie. Lavée. Instruite. Une petite sieste et hop!

— Et n'enlève pas ton chapeau!

— Y'a pas de risques.

Des insolations j'en avais déjà attrapé deux, pas envie d'en avoir une troisième.

Les sandales enlevées et rangées l'une à côté de l'autre sur la dernière marche du perron, le short court, le chapeau de paille enfoncé jusqu'aux oreilles. A moi le bonheur, le jeu, le rire, les odeurs, les couleurs, la danse, la jouissance, la sagesse.

« *Chaba, chaba!* Belle, belle! » Bien sûr belle, puisque je suis heureuse!

Au soleil la terre brûlante qui rend la démarche sautillante; bientôt l'ombre où s'accomplissent les noces.

Cette enfant je la connais, elle vit encore en moi, elle est toujours moi, mais les années ont fait grandir la sœur aînée que je suis aussi devenue pour elle, et maintenant je juge, ce qu'enfant je ne faisais pas. Mon jugement est gros, sans nuances, manichéiste : mes jardins étaient bons, mon éducation était mauvaise. Je ne reviendrai pas sur le fait que mon éducation a été mauvaise. Je l'ai considérée sous toutes ses faces possibles et imaginables et je la rejette de toute manière. Ayant mis moi-même des enfants au monde et ayant eu à jouer ce rôle injouable qu'est celui de la mère, je me suis des milliers de fois référée à ma propre enfance, et à ma propre mère, pour essayer d'y puiser un enseignement, une conduite. Jamais une seule fois le souvenir du comportement de ma famille ne m'a servi d'exemple, jamais il ne m'a aidée à progresser.

Longtemps je ne l'ai vue que colonisatrice,

maintenant je la vois aussi colonisée. Victime et bourreau à la fois.

Je ne voudrais être ni l'une ni l'autre. Est-ce que cela est possible?

C'est dans cette ambiguïté que je vis, consciente sans cesse du poids que je pèse sur les autres et du poids que les autres pèsent sur moi. Etre née à la colonie dans une famille de colons est un fait lourd à porter; et pourtant, être une créole est une joie, une pétillance en moi. Sans arrêt la terre et la tête, le corps et l'esprit, se battent et s'unissent dans des mêlées épuisantes. J'enfonce des portes ouvertes, tout cela est vrai pour n'importe qui, ces conflits ou ces accordailles sont le meilleur de nos vies, sa cannelle ou son poivre. Mais quand la culture est double et doubles aussi les géographies et les histoires, l'équilibre est constamment en péril, il y a peu de repos.

Pour la géographie c'est simple, il n'y a que celle de mon lieu de naissance qui me convienne absolument. Ce n'est pas que je ne trouve pas la France belle, au contraire; mais ce n'est pas chez moi. Il y a son Histoire partout qui fait de l'œil, qui tape du pied, qui hèle, qui gémit, qui parade, qui brouille les reliefs. C'est une histoire de gens habitués à la fraîcheur, habitués aux longs printemps et aux longs automnes, habitués à la riche harmonie née du disparate des régions, habitués à avoir des voisins différents. C'est une géographie de pays fertile où la terre est divisée en lopins et où, depuis des siècles, les voies sont indiquées avec autorité afin que les errances n'aillent pas fouler les trésors campagnards des familles qui logent autour de leurs clochers. Multitude de clochers hérissant les vallons, les vallées, les plaines, les montagnes et les côtes.

Chez moi, ce n'est pas comme ça. L'Histoire se raconte, elle ne s'architecture pas, ou à peine, elle est pleine de chevauchées, de razzias, de poignards recourbés, de djellabas qui volent, et de pieds nus qui assaillent des montagnes de caillasse, elle se traite sous des tentes brodées, avec du thé à la menthe et des gâteaux au miel, elle se règle en coupant le phallus des vaincus ou en leur ouvrant la gorge, pendant que les femmes iouioutent. Chez moi les minarets sont rares mais Dieu est partout, surtout le soir, au bref crépuscule, quand les gens s'agenouillent là où ils sont, dans la terre labourée ou sur le thym des maquis, face à La Mecque, et qu'ils égrènent sur les phalanges de leurs doigts la mélopée de la confiance. Recueillis, ils sont certains que leur

Dieu les protégera ici ou ailleurs. *Mektoub.*

L'automne et l'hiver se confondent chez moi, en Algérie. Il pleut des trombes d'eau et, de la mer, vient un vent coupant qui glace jusqu'à la moelle. L'herbe se met à repousser où elle peut. Quand la pluie cesse, le soleil éblouissant éclaire une terre rouge que de petits torrents écorchent vive, les os de ses pierrailles et de ses roches apparaissent partout, des ruisseaux se forment qui lui creusent des rides. Il y a alors des bruits champêtres, des bruits presque helvétiques de campagne proprette. Il faut mettre des chaussures. Le soir il fait si humide qu'on claque des dents en se mettant au lit. Les montagnes sont poudrées de neige. Le ciel et la mer sont d'un bleu profond, splendide.

Dans mon pays les saisons ne sont pas comme en France. Le printemps dure quinze jours, il est fou : il pète, il pétarade, il tiraille, il éclabousse tout, partout. Les couleurs, les odeurs, les formes, montent et transforment le paysage à une vitesse telle qu'on croirait voir bouger et vibrer la terre. La vie! Une force vitale incroyable, une jeunesse formidable, d'une beauté et d'une vigueur insensées, reviennent chaque année. Et puis l'été arrive et, comme un ogre, il mange tout. Il grossit vite à dévorer comme il le fait du vert tendre, du rose et du jaune, de la jeune herbe et de la fleur folle; on dirait qu'il n'y a que le rouge du géranium pour l'arrêter, ou le gros vert vernissé de l'oranger, ou le brun du cep coriace et du bois d'olivier, il mange même le bleu du ciel, il s'arrête à la mer comme si sa fraîcheur le rebutait et puis, repu, il s'installe pour digérer dans une chaleur de fournaise. Digestion qui dure des mois. On dirait que la nature décolorée a peur de lui et se tapit, elle tremble. Il n'y a que les insectes à ne pas le craindre, ils vrombissent, dardent, piquent, sucent, bourdonnent, se nourrissent des rebuts en décomposition de l'ogre. La nuit, l'été va se reposer un peu dans les confins de l'univers. Alors sortent les odeurs et les parfums et les couleurs aussi, pour la fête.

En ce qui concerne la culture qui est dans ma tête, c'est plus compliqué. Au rythme de la géographie et l'Histoire de chez moi se sont mêlés, dès le premier jour de ma vie, des rythmes d'ailleurs.

La berceuse est douce mais elle l'est trop quand c'est ma mère qui la chante. Quand c'est Carmen, elle est plus proche de moi. Quand c'est

Daïba, elle me plaît tout à fait, pourtant je me sens déjà coupable de me laisser endormir par elle. Je sais déjà que c'est le rythme de ma mère qui est le « meilleur ». Il est raisonnable, charmant, et entraîne des mots mignons qui vont bien au « gazouillis » des enfants : dodo, poupée, papa, maman... Il n'est pas question de ça dans les berceuses de Carmen ou de Daïba, elles sont plus sauvages.

Rythmes des saisons, rythmes des chansons, rythmes des mots.

29 avril.

Je viens de téléphoner au consulat d'Algérie pour demander s'il faut un visa pour aller là-bas.

Voix de la standardiste :

— De quelle nationalité êtes-vous?

— Française.

Il y a un creux en moi, un manque, un trou, une plaie, au moment où je dis ça. Qu'est-ce qui me prend? Ordinairement ça ne me gêne pas de dire que je suis française.

— Alors vous n'avez pas besoin de visa.

— Et pour ma chambre d'hôtel?

— Adressez-vous à l'agence de voyages.

Agence de voyages : hôtel Saint-Georges, bateau *El Djazaïr*.

Reviennent les jardins dans ma tête avec une précision piquante, griffante. Jardins perdus, puits ensablés. Hôtel Saint-Georges, *El Djazaïr* : des souvenirs, pas des réalités. Ou sinon quelles réalités? Se peut-il que cela existe sans moi? Pour de vrai, sans souffrir de mon absence? La dame au téléphone me donne des précisions sur l'hôtel et le bateau. Mais enfin, c'est invraisemblable, je les connais par cœur. Ils sont à moi!

— Calme-toi, ma fille, calme-toi, je vais te faire une verveine, elle est toute fraîche, elle est en fleur.

— Pourquoi il a tué les petits chats, Aoued?

— Parce qu'il y en a trop.

— Je veux pas qu'on les jette à la poubelle. Je veux qu'on les enterre.

— Si tu veux. Aïe, aïe, aïe, cette enfant, quelle engeance, quel calvaire! Comme si on se faisait pas assez de soucis comme ça.

Enterrement des petits chats noyés. Cérémonie mi-catholique mi-musulmane. Les corps enveloppés dans un chiffon, sur un brancard, portés sur les épaules des garçons. Cortège, chants : *Ave Maria, Mohamed Rassoul Allah.* La tombe est creusée au pied de l'amandier qui donne des amandes amères et qui fait les fleurs les plus roses au printemps. Puis le trou est comblé et dessus on dispose des assiettes avec un peu d'eau, du pain, des raisins secs, des grains de couscous et des fleurs. J'ai pris les assiettes du vieux service de poupée de mon arrière-grand-mère, en vraie porcelaine de Sèvres, irisées, bleues, avec des fleurettes en relief sur la bordure : « des pièces de collection », c'est ce que dit ma mère à chaque fois qu'elle les regarde. Des assiettes dont je ne me sers pas pour jouer parce qu'il ne faut pas les casser.

Après, on s'assied sous l'amandier, autour de la tombe, tous les enfants de la ferme, et on parle.

A l'heure du déjeuner, avant de passer à table, je raconte l'enterrement, l'amandier, les assiettes...

— Bon, tu es contente maintenant? Alors tais-toi et mange correctement.

Irruption de ma mère au beau milieu de la sieste :

— Les assiettes ont disparu! Mais tu le sais pas que c'est des voleurs tous ces gens! Tu le sais pas?

— ...

— Les assiettes du service de Mémé Jobert! Tu te rends compte?

Ma mère pleure.

Sacrilège!

Mémé Jobert, mon arrière-grand-mère, était une Française née en Algérie. Mais il paraît que sa famille venait de Gênes, en Italie. Il paraît même qu'ils ont encore là-bas un tombeau magnifique avec des statues dessus, des anges aux ailes déployées. L'Italie c'est pas la France, mais c'est en face quand même, de l'autre côté de la mer, du bon côté... Tout ce qui touche à ça, tout ce qui vient de là, est sacré. C'est plus sacré que tout ce qu'il y a de sacré ici.

— Plus sacré que Notre-Dame-d'Afrique?

— Oui.

— Plus sacré que le cimetière de Saint-Eugène?

— Oui.

— Je savais pas.

— Comment tu savais pas? Mais où elle a la

tête cette petite? Et qu'est-ce qu'ils vont en faire les bicots de ces assiettes? C'est ça le plus bête. Ils sont pas capables de faire la différence entre ces assiettes et des assiettes en celluloïd. Si c'est pas un malheur! Les enfants, ça comprend rien.

Sortie de ma mère en larmes. Chuchotis suivis des gémissements de ma grand-mère. Aïe, aïe, aïe, les assiettes de sa mère, la pauvre! Et mon oncle qui les gronde et les calme : « Vous n'aviez qu'à les ranger hors de sa portée. On va pas faire des histoires pour des assiettes de poupée. Tant qu'ils ne voleront que ça, ça ira. »

Repos. La sieste apaise tout le monde. Les cigales s'entêtent jusqu'à l'hystérie. Le soleil, à travers les volets, raye ma chambre de traits enflammés. Dehors, les corps des petits chats doivent déjà pourrir dans le ventre de l'été.

Tous mes amis sont des voleurs et des bicots. Quelle solitude!

Quelle solitude à chaque fois qu'il faut faire ce choix : eux ou nous!

Mais il ne s'agissait pas de faire ce choix. Cela n'était même pas pensable et encore moins exprimable. C'était ailleurs, dans le domaine de la morale, que se situait l'alternative : aimer le bien ou aimer le mal. Eux étaient le mal, nous étions le bien. Qui choisit délibérément le mal à l'âge de cinq ans, de huit ans, de dix ans...? Pas moi en tout cas, je n'avais pas cette force-là.

J'étais là, sur le lit de ma sieste avec pour compagnie les deux tarentes casanières qui s'étaient endormies dans leur coin d'ombre, au plafond. Et je pleurais parce que j'étais mauvaise, parce que j'étais attirée par le mal, parce que le mal était en moi. Mon avenir me terrifiait : un jour je ne serais plus une enfant, je serais livrée à moi-même et je ferais le mal.

Je ne pouvais pas imaginer que je pleurais parce qu'on ne me laissait pas aimer à ma guise, parce que le dressage me blessait.

La peur de devenir une mauvaise femme me contraignait à changer mes désirs, à contrarier mes inclinations, et cela me faisait souffrir. Je ne savais pas comprendre cette souffrance, je me croyais maudite, mal née, anormale... Le lavage de cervelle ne se fait pas que dans les camps de redressement, il se fait aussi dans les familles, et il n'en est pas moins estropiant.

A dix-huit ans ma conversion était « presque » parfaite. Elle ne s'est pas opérée dans le but d'être différente des Arabes, non, elle s'est perversement opérée dans le but de devenir une bonne chrétienne, une bonne Française et une dame.

Je m'éloignais de la galaxie arabe avec un entêtement et une inconscience d'étoile filante. Ils étaient loin, très loin, de plus en plus loin, oubliés. Ils étaient assimilés à l'univers français qu'ils servaient comme ils pouvaient, plutôt mal que bien, en faisant du « travail arabe »; mais on ne leur en tenait pas rigueur, dans ma famille on aimait les Arabes...

Quand la puberté est venue il n'a plus été question pour moi d'organiser des enterrements de petits chats avec les jeunes Arabes de la ferme, et encore moins d'aller au cinéma ou même à l'école avec eux. Les uns d'un côté, les autres de l'autre. Le ghetto français s'est refermé sur moi avec ses quartiers réservés...

J'ai fait des études. Baccalauréat. Licence de philosophie. Diplôme d'études supérieures. Préparation à l'agrégation...

Et mes anciens copains de la ferme, que deviendront-ils?

Les filles, dès leur puberté, seront séquestrées. Elles ne devront plus être vues des hommes. Toutes jeunes elles seront mariées et passeront du ghetto de la *raïma* de leur mère au ghetto de la *raïma* de leur belle-mère. Elles resteront entre femmes à rouler le couscous, à préparer le feu, à garder les enfants, à parler et à attendre les hommes de la famille. Rien ne viendra modifier leurs vies de femmes qui seront en tout point semblables à celles de leurs aînées. Leurs existences, derrière les murs de torchis ou les haies serrées de roseaux, s'inscriront dans l'éternité et non pas dans une durée mesurable, estimable. Leurs années n'auront pas de sens, ce qui aura un sens, ce sera l'immuable répétition de la tradition. Les vieilles veilleront sévèrement à ce que rien ne change. Rien. Pas le moindre geste, pas le moindre mouvement dans la façon de balayer, de laver, de ranger, de cuisiner, pas le moindre mot dans les prières et les chansons, pas le moindre rite dans la préparation et la célébration des fêtes. Jusqu'à ce qu'elles se confondent avec la tradition elle-même. Elles deviendront alors respectables et imposeront la loi à tous, y compris aux hommes. Personne n'osera contrarier la mère. *Ya ima, Ya ma. Ma.*

Les garçons, eux, resteront dehors. Pendant quelques années, le temps que l'adolescence façonne leurs corps d'hommes, ils seront occupés à la ferme pour de menus travaux. Ils iront parfois à l'école communale. Ils iront surtout à l'école coranique sans jamais faire l'école buissonnière cette fois, car les mères, malgré leur enfermement, savent tout, et le moindre manquement aux devoirs de leurs fils signifierait une colère formidable, suivie d'une punition terrible.

Aller à l'école coranique veut dire parfois, pour certains, faire des kilomètres à pied afin de rejoindre le douar où enseigne le maître. En été sur un espace de terre battue ombragée, en hiver dans une pièce basse et sans fenêtres qui sent le feu de sarments, les garçons s'installent en rond autour du professeur. Tous assis en tailleur sur des nattes. Petits tas de guenilles sagement disposés, ils se balancent d'avant en arrière en psalmodiant les versets du Coran.

A chacun le maître a donné une planchette de bois, de la taille d'une ardoise, sur laquelle est étalée de l'argile fraîche. Les garçons, à l'aide d'un bâtonnet ou d'une plume de dindon, recopient sur leur tablette ce que le maître a gravé sur la sienne. Ils s'appliquent à tracer les volutes de leur écriture qui se tortille entre des étoiles et des croissants de lune, de droite à gauche. En même temps qu'ils creusent l'argile ils creusent leur mémoire, tâchant d'inscrire ces signes une fois pour toutes dans leur tête. Car tout à l'heure, lorsqu'ils auront plusieurs fois chantonné ce verset, en se berçant, ils l'effaceront en aplatissant la glaise de leurs doigts, préparant ainsi une nouvelle « page » pour un nouveau verset. Mais ils devront retenir l'ancien! Le maître est là pour s'en assurer. Sa badine est assez longue pour cingler les épaules ou la face du garçon le plus éloigné s'il vient à se tromper. Et le maître est sévère, il ne se prive pas de distribuer ses coups de cravache, il n'accepte pas la moindre erreur.

Tout le Coran, verset par verset, année après année. Psalmodié, ânonné, répété, rabâché, récité, chanté. Retenu. Chaque mélopée accompagne, dans la mémoire, des lignes enroulées, des points et des accents, qui lui sont propres. Chaque lettre, chaque mot, n'ayant pas de signification en soi, ne se détachant pas de l'ensemble, exprimant tels qu'ils sont, liés fugacement dans l'argile du pays, une phrase du Coran.

Après, nantis de ce précieux bagage, beaucoup de garçons partiront. Un soir, leur unique paire de chaussures à la main, sans rien d'autre, car ils ne possèdent rien d'autre, ils s'en iront par les chemins de terre rejoindre l'asphalte de la route nationale qui sera doux aux pieds. Ils marcheront toute la nuit, et peut-être encore un autre jour et une autre nuit, afin de parvenir jusqu'à la ville. Ils deviendront vendeurs de journaux, cireurs de chaussures, laveurs de voiture, domestiques, voleurs... Jamais ils n'oublieront ni le douar ni l'école coranique. Ils retourneront là-bas se marier avec la femme qu'on leur aura choisie et à laquelle ils feront des enfants. Ils repartiront toujours, mais la femme restera et veillera avec les autres femmes à ce que leurs filles pubères ne sortent pas et à ce que leurs fils apprennent le Coran avec le maître sévère et sage. Tout leur argent ils l'enverront à la mechta et quand ils seront vieux ils rentreront enfin chez eux où ils garderont le troupeau de chèvres en attendant de mourir. Sereins, assis à l'ombre d'un figuier, ils contempleront la campagne de leur enfance, les oliviers, la vigne, les figues de Barbarie, le blé, les cailloux, l'herbe, les chiens jaunes qui se grattent, et ils suivront les chemins du soleil dans le ciel, entre la prière du matin et la prière du soir.

Moi, pendant ce temps, je m'instruisais, je devenais savante. Tellement savante que je ne saurais plus rien du fait même de vivre, du sens de la mort. Car je suis partie, j'ai visité des villes et traversé des continents, mais je ne suis jamais retournée à la terre, et ce sont les retours qui comptent. Je ne suis jamais revenue chez moi pour des labours ou des semailles. Je me suis laissé envahir par la mauvaise herbe de la science étrangère et maintenant j'étouffe.

Chez nous, dans les familles d'origine française, il n'était pas question d'école coranique pour les garçons ni d'interdiction de sortir pour les femmes, mais il y avait une vie de famille où la sorcellerie se mêlait à la raison, de manière à créer une atmosphère intense qui envoûtait autant qu'une religion. A chaque famille sa religion propre.

Les rêves chaque jour se racontaient, se discutaient, s'interprétaient. Les servantes aidaient à l'interprétation, mêlant les mythes islamiques et africains aux mythes judéo-chrétiens et européens. Ma grand-mère était fameuse pour ces analyses et quand elle en arrivait à une conclusion que je ne devais pas entendre, concernant généralement la vie compliquée de ma mère, elle agitait son éventail d'une certaine manière et finalement l'ouvrait devant mes yeux. Comme si de ne pas voir m'empêchait d'entendre.

En fait elle n'avait pas tout à fait tort. Ce que je percevais derrière l'éventail appartenait au monde de l'indicible, du secret, du caché. Elle savait ce qu'elle faisait, elle me créait un monde intérieur tout en m'initiant aux mystères de la famille. Univers immense fait de drames, d'amours, de larmes, de bonheurs innombrables et privés, absolument privés. Univers inexprimé probablement fait pour équilibrer le verbiage, la harangue, la supplique, la dispute, la *tchatche* qui ne cessait de faire du bruit et de se répandre par ailleurs. En apparence tout se disait, tout se parlait, mais ce n'était pas vrai. Un monde occulte existait encore plus que celui qui était dit par les gestes et les paroles.

Tout cela formait un magma bouillant de mysticisme et de fanatisme. Les dieux et les diables étaient là, partout. La vie des morts palpitait chez les vivants. Les générations, soudées les unes aux autres par les révélations constantes des défunts, ne formaient qu'une seule vie.

A Alger nous habitions un immeuble où vivaient plusieurs familles de riches juifs sépharades. Parfois, le matin, en partant pour l'école, j'avais à franchir des flaques qui dégoulinaient dans les escaliers. C'était une mère ou une grand-mère juive qui avait jeté de l'eau sur les talons d'un membre de sa famille : pour le faire revenir. Je le savais. Les servantes arabes le savaient. La concierge espagnole le savait aussi, et, tout en nettoyant, elle marmonnait des incantations et faisait des gestes avec ses mains; l'index et l'auriculaire pointés en avant, trois fois de suite, pour détourner les esprits. Ensuite elle insultait les Arabes qui ne voulaient pas se frotter à ce ménage-là. Elle criait très fort pour se rassurer elle-même.

Toutes sortes d'émanations peuplaient cette vaste cage d'escalier humide et sombre. Si la minuterie venait à s'éteindre je franchissais la zone d'ombre à toute vitesse, le cœur battant. Je n'avais pas peur, j'avais seulement l'impression qu'il fallait que je me presse, que je n'avais pas à traîner par là, dans les étages des autres, que je n'avais pas à déranger les esprits qui rôdaient autour de leurs portes.

Je vis à Paris dans un immeuble tout semblable à celui de mon enfance. L'escalier est un désert. Il ne livre rien des vies de ceux qui vivent là. Aucune chance d'y rencontrer un *djenoun* qui m'attrapera par les cheveux et m'entraînera Dieu sait où... Ça me manque...

Chaque famille était en quelque sorte un arbre avec des racines, un tronc, des branches, qu'il fallait élaguer, arroser, tailler, récolter.

Chaque naissance, chaque mort, chaque mariage avaient une importance capitale. L'arbre faisait partie d'une forêt et la tenue de cette forêt occupait les existences entières. Les circoncisions, les baptêmes, les *bar mitzvah* étaient des cérémonies qu'il n'était pas question de ne pas prendre au sérieux, même si elles se célébraient chez des inconnus. L'immeuble, le quartier, la ville (cela dépendait à quelle essence d'arbre on appartenait) étaient au courant de l'événement et le commentaient. La forêt bruissait alors des histoires chuchotées des familles. C'était dans ces occasions qu'il fallait le plus faire attention aux mauvais sorts, au mauvais œil surtout, et les conjurer.

Les unions étaient graves. Il ne devait pas y avoir de mélanges! Pas de greffes possibles.

Nous vivions dans les passions familiales, les règlements de comptes familiaux, les défenses familiales, les guerres familiales. A côté de cela, pour la majorité d'entre nous, que pouvaient être un Etat, un gouvernement, une politique, une idéologie? Pas grand-chose. Nous vivions à l'état tribal.

Le raisonnable nous venait de la méditation songeuse, du rêve peuplé de présages heureux ou funestes avec lesquels il fallait composer « raisonnablement ».

Ma grand-mère ayant appris qu'un de ses fils venait d'avoir un infarctus a déclaré, après avoir fait sa sieste, à la famille réunie : « Je donne ma vie pour que mon fils vive. » Le fait est qu'elle est morte peu après, « en pleine santé »... et que son fils a vécu.

Ma famille était une famille instruite. Nous avons donc commenté longtemps les raisons « raisonnables » qui avaient pu causer la mort de ma grand-mère et la survie de mon oncle. Mais je suis certaine qu'aucun d'entre nous n'y a cru; car l'unique explication à donner de cet événement c'était que ma grand-mère au cours de sa sieste avait remis son âme à Dieu en échange de celle de son fils. Remis, comme le facteur remet un paquet. Un échange, comme un troc, donnant-donnant. Elle avait communiqué avec Dieu, elle lui avait fait une proposition qu'il avait acceptée. Voilà tout...

Est-ce que j'arriverai jamais à dissocier l'Algérie de la famille?

Ma famille, je me suis amputée d'elle depuis longtemps maintenant. Amputée, le mot n'est pas trop fort. Certaines des coupures que j'ai effectuées m'ont fait souffrir terriblement. Je suis née de ça, de cette partition. Je me suis mise à exister à ce prix et je ne le regrette pas. Au contraire, j'y ai puisé une force et un plaisir de vivre que je ne connaissais pas auparavant.

Je sais parfaitement cependant qu'on ne peut jamais se séparer totalement de sa famille. Je la laisse donc flotter en moi, dans la mesure où elle ne me dérange plus.

Justement, là, elle me dérange. Ce n'est pas elle que je vais retrouver, c'est ma terre. Pour rencontrer ma famille je n'ai pas besoin de faire ce voyage. Je n'ai qu'à y penser, laisser sortir ses fantômes, elle vaque alors à ses lois, à ses affections et à ses faiblesses, comme avant.

2 mai.

Je voulais aller à Alger par bateau, refaire le pèlerinage habituel. Comme d'autres vont à Compostelle, ou comme on manifeste de la Bastille à la Nation, par des itinéraires bien repérés, comme Jésus suit son chemin de croix.

Je n'aime pas ça. Je voudrais aller là-bas avec d'autres religions dans la tête. Lesquelles?

Je prendrai peut-être l'avion. Fameux culte qui me privera de la vallée du Rhône, des premières vignes, des premières terres exsangues et des falaises blanches de la campagne marseillaise. Fameuse procession où je ne sentirai pas l'odeur des ports mais celle du kérosène!

Oui, je l'avoue, c'est ce qu'il y a en moi d'archaïque que je recherche et j'ai l'impression que c'est par la terre elle-même que je l'aborderai, pas par les gens. Les gens portent une culture qui embrouille l'archaïsme; je le voudrais brut.

Dans des pays comparables au mien, tels que l'Égypte, le sud de l'Italie, la Corse, la Sicile, le Maroc, la Tunisie, par moments, à cause du bruit de la mer, à cause d'une odeur de poussière, à cause de la chaleur, à cause de je ne sais pas quoi, par moments, fugacement, l'impression que j'existe, que je suis là, que je suis entière, comme dans mon enfance. Mais, dans mon enfance, il n'était pas question d'impressions ni de moments, j'étais, c'était tout. Et le fait d'être se liait totalement au lieu où je me tenais.

Désir forcené de retrouver cette personne que j'ai été, que je dois être encore. Depuis trop longtemps j'ai perdu la connivence avec un espace, la complicité avec un rythme naturel, la compréhension parfaite des signes colorés, odorants, bruyants. Ici je me perds, je m'effiloche, je me dilue, je suis une décalcomanie.

Feuilles d'eucalyptus, fines lames grises et bleues. Bruissement sec des feuilles d'eucalyptus parce que la brise de mer souffle ou parce que la petite fille s'est suspendue à une branche basse et se balance entre ciel et terre. Etre là et nulle part ailleurs parce que la douce écorce empaumée caresse ses mains, parce que la branche est souple et qu'un seul coup de reins suffit à la balancer longuement, parce qu'il est onze heures et demie, l'heure préférée de la petite fille, parce que de loin, de très loin, viennent des bruits de travaux agricoles, lourdes pioches, et des odeurs de friture d'oignons, prémices des repas. Je vis. J'ai la conscience de la précarité de ce présent mais j'en jouis. J'en jouis avec l'arbre, avec le labeur lentement cadencé, avec le soleil qui va glorieusement vers son zénith, avec la nourriture qui s'élabore, avec les abeilles qui butinent les drôles de fleurs coriaces de l'eucalyptus.

Qu'est-ce qui obsède les fourmis? Sont-elles obstinées de nature ou bien reçoivent-elles des ordres terribles? Même seule, même séparée des autres, une fourmi s'affaire. Je n'ai jamais vu une fourmi se prélasser au soleil ou à l'ombre, et si elle est arrêtée son corps s'active quand même, sa tête, ses mandibules, ses antennes, son abdomen, elle est à l'affût, aux aguets, elle cherche son chemin, elle cherche ce qu'elle va ramener à la fourmilière, elle détecte la colonne de ses semblables, cet incessant flux montant ou descendant qui entre dans la terre ou en sort. Deux minutes après que j'ai laissé tomber un bout de mon fromage, il est noir de fourmis, sa dissection est déjà parfaitement organisée, elles font la queue, leur foule est en ordre malgré la fièvre qui l'anime.

J'aimais passionnément regarder les fourmis. Elles agissaient exactement selon les codes de ma morale et de ma religion : « ne perds pas ton temps », « ne sois pas avare de ta force », « finis ce qu'il y a dans ton assiette », « pense aux autres », « si tu ne fais pas ça pour toi, fais-le pour ta famille », « aide les plus faibles », « ne reste pas vautrée dans ton lit ».

C'est probablement pour ça que les fourmis me fascinaient et qu'en même temps elles m'agaçaient. Je n'avais pas envie d'être une fourmi. D'abord elles étaient méchantes. Elles piquaient, les garces! Surtout, les jours d'orage, les fourmis rouges et les fourmis-gendarmes. Et puis leur zèle, leur diligence, leur prudence et leur obséquiosité quand elles se rencontraient!... Elles me faisaient penser aux bonnes sœurs de mon couvent. Elles étaient la preuve vivante de l'existence de Dieu, elles appliquaient tous ses préceptes. Une fourmi ne joue jamais... Pas envie de ça. Pas envie de vivre comme ça. Oui mais voilà : peut-on échapper à cette règle?

Une anxiété me prenait souvent, dehors, dans mes explorations : impression qu'il y avait des lois auxquelles je devais coûte que coûte obéir pour aboutir un jour dans le paradis d'Allah. Car, paradis pour paradis, c'était secrètement celui d'Allah que j'avais choisi. Je me préparais, courageusement, à affronter cette mésalliance *post mortem*... Je crois que j'imaginais le paradis d'Allah plein de beignets encore grésillant de friture et de *zlabias* dégoulinant de miel. Tandis que dans l'autre il fallait jouer de la harpe, réciter son chapelet, se tenir assise sagement, les genoux serrés, sur des nuages, et ça ne me disait rien.

Mektoub me convenait mieux que « Ainsi soit-il ». Pour qu'Il en soit Ainsi, il fallait d'abord que je m'engage au nom du Père et du Fils et du Saint-Esprit. De père je n'en avais pas, ma mère disait de lui qu'il était un aventurier, l'image que je me faisais de cet homme cadrait mal avec celle que j'aurais dû avoir du Dieu tout-puissant. Le fils c'était mon frère qui n'était pas gentil avec moi et qui avait des lunettes. Quant au Saint-Esprit alors là, n'en parlons pas... impossible de prendre au sérieux ce pigeon inspiré qui volait perpendiculairement. *Mektoub*, c'était vaste, c'était vague, c'était libre, cela m'autorisait une part d'irresponsabilité, d'insouciance : pourquoi me casser la tête outre mesure puisque, de toute manière, c'est Dieu qui décide?

Quand je serai grande... quand je serai grande... je ne terminais jamais cette phrase proférée sur un ton menaçant. Ma réflexion ne pouvait s'exprimer plus clairement et plus précisément, sinon j'aurais reçu une fameuse raclée. Quand je serais grande je ne deviendrais pas musulmane, ce n'était pas une déchéance souhaitable. Quand je serais grande, si j'en avais le courage, je ne serais plus catholique. Ça existe, il y a des gens très bien qui ne vont pas à la messe.

Et, pour affirmer mon autonomie, tout de suite, sans attendre d'être grande, je faisais pipi sur les fourmis.

Je choisissais une belle colonne de fourmis bien actives, bien exemplaires, bien obéissantes.

J'enlevais mon short pour être plus à mon aisc et je m'accroupissais. Ensuite, la direction du jet et le souci de noyer le plus de bestioles possible m'absorbaient complètement et mes inquiétudes métaphysiques s'évanouissaient.

L'opération n'était pas si simple que ça, elle demandait beaucoup de concentration. Maîtriser un jet de pipi est plus compliqué pour une fille que pour un garçon. Un garçon n'a qu'à diriger avec sa main son tuyau d'arrosage dans la direction qu'il veut. Pour une fille ce n'est pas aussi facile. Il faut qu'elle entre en elle-même et qu'elle dirige tout son désir vers le bas de son ventre jusqu'à ce qu'elle sente l'urine prête à jaillir comme si elle était un javelot. A ce moment-là viser bien, calculer avec précision, prévoir le sens de l'attaque — ce n'est pas rien, il faut marcher en canard, soumettre tout le corps à la préparation de ce guet-apens, sans quitter des yeux les proies — et laisser partir un premier jet dru comme une volée de flèches. Brusquement, par un mouvement vif du petit bassin et de la volonté, fermer les vannes. Constater les dégâts. Les fourmis affolées fichent le camp dans tous les sens, elles s'empatouillent dans les flaques jaunes. Mais la terre est sèche et en un rien de temps elle a tout bu. Il faut recommencer là où il y a le plus de fourmis. Comme ça trois ou quatre fois et même cinq ou six fois, jusqu'à épuisement des réserves. Au moins une trentaine de cadavres qui ne bougent même plus dans la petite mousse que mes coups ont fait lever et dont les minuscules bulles irisées crèvent toutes ensemble.

Plus tard, beaucoup plus tard, en apprenant que Freud prétendait démontrer l'infériorité des femmes par leur manque de pénis, me souvenant de mes sauvages bagarres contre les fourmis, j'ai pensé qu'il manquait quelque chose à Freud (auquel je dois beaucoup d'autre part) et peut-être aux hommes en général : ils ne connaissent pas les femmes... Car si nous ne possédons pas de chibre, nous avons, dans la douce région de notre sexe, une quantité de fibres et de petits muscles diaboliques qui sont bien intéressants à manipuler... Juger la grosse Bertha supérieure aux flèches, cela dépend uniquement du goût que l'on a pour la subtilité. Manquer de pénis c'est une idée d'homme, ce n'est pas une idée de femme. Qu'en ferions-nous?

Pour en revenir à mes massacres de fourmis, je dirais qu'ils apaisaient mon mysticisme anxieux et libéraient mon paganisme fanatique. J'aimais jouer, courir, grimper, sauter, passionnément.

Je comprenais les Aïssaouas ou les derviches qui finissaient par s'évanouir de danse. Comme tous les enfants méditerranéens je grouillais : à croire que le soleil, au lieu de produire l'effet exténuant qu'il produisait sur les adultes, était un moteur supplémentaire de ma vitalité.

Il n'empêche que j'étais consciente d'un ordre supérieur qui me terrorisait ou me réjouissait selon que je m'y sentais contrainte ou libre.

Cet ordre supérieur je suis bien obligée d'admettre aujourd'hui qu'il était d'une supériorité relative puisque je ne peux pas ne pas lui adjoindre un adjectif : il était oriental. D'ailleurs cette idée de la relativité de la supériorité m'est venue très tôt et ne m'a plus lâchée. Au départ c'était à cause des Arabes. Je n'ai jamais cru une seconde qu'ils allaient tous prendre le chemin de l'enfer parce qu'ils n'étaient pas baptisés. Je n'ai jamais accepté ça, et quand ma mère revenait de ses tournées de soins dans les douars qui fournissaient la main-d'œuvre des fermes et qu'elle déclarait : « J'en ai encore baptisé trois... », elle me paraissait naïve, je trouvais même que ses certitudes étaient un peu débiles. Son récit me gênait. Elle racontait comment, tout en nettoyant les nouveau-nés, elle en profitait pour les ondoyer. Elle laissait couler l'eau sur le front des bébés et du bout du pouce elle traçait une croix : « Je te baptise au nom du Père et du Fils et du Saint-Esprit » et elle ajoutait : « S'ils viennent à mourir ils iront dans les limbes. » Je n'ai jamais imaginé que ces limbes pussent être meilleurs que le paradis d'Allah.

La coupure avec moi-même a commencé tôt : Arabe-Française, Française-Arabe?

Mes parents divorcés se déchiraient continuellement par téléphone ou par courrier, se servant souvent de moi comme d'une petite messagère du fiel. Le repos, la gaieté, le jeu, la musique, les contes, c'était en dehors de ma famille que je les trouvais. Sur les épaules de Kader, dans le giron couscoussier de la mère de Kader, ma main dans la main de Barded, derrière Youssef le jardinier ou Aoued le garçon d'écurie et aussi avec Daïba, Halima et Baya. Sans compter Carmen, une Andalouse vouée aux soins des enfants.

D'un côté la passion, la tragédie, les péchés mortels ou non de ces Atrides catholiques qu'étaient les miens. Le tout bien caché par la tenue et les tenues du bourgeois français. De l'autre côté la tendresse, la suavité, le rire, et un mystère qui s'exprimait par une piété fervente mais peu encombrante parce que naturellement liée à toute action, à toute réflexion. Piété qui donnait du goût à la quotidienneté, sel ou sucre de chaque jour. Mais quand un événement se produisait, bouleversant le train-train, n'importe lequel — un cheval crevé, une maladie, un adultère, le plus petit manquement au Ramadan —, la piété alors tournait au typhon, faisait fleurir les raclées sauvages, les hurlements déments, les meurtres, les gorges ouvertes, les mutilations, les estafilades sanglantes, les marques d'un Dieu vengeur et violent.

Ce qui s'est passé et se passe en Iran ne m'a jamais étonnée. A écouter parler l'imam Khomeiny quand il était à Neauphle-le-Château, je savais que les événements évolueraient comme ils ont évolué. Je savais, entre autres, que les femmes allaient remettre leur *tchador* en quatrième vitesse. L'histoire des otages est logique : œil pour œil, dent pour dent, de n'importe quelle manière. Dans le fond, la plus grande sottise et la plus grande vilenie du shah est d'avoir cru pouvoir châtrer l'islam, de s'être cru assez fort pour pouvoir le dompter, le mater, à l'instar des religions occidentales qui servent si bien les États. Religions aux églises vides de dieux dont les pavillons couvrent les marchandises les plus avariées des gouvernements.

Je n'ai pas voulu me joindre aux femmes occidentales parties pour Téhéran afin d'aider leurs sœurs iraniennes à défendre leurs droits. Elles y sont allées avec les meilleures intentions du monde chrétien, sans savoir que les meilleures intentions du monde musulman n'ont rien de chrétien. Elles ont parlé au nom de leurs sœurs opprimées et elles se sont plantées comme on dit vulgairement.

L'image de la Mauresque qui chemine, chargée de ballots, au côté de l'homme somnolant sur son âne est une image odieuse, absolument odieuse. Mais cette femme-là, l'Occident ne la connaît pas, ni cet homme, ni cet âne, ni même ces ballots. Si bien que l'image a un autre sens que celui qui lui est donné et vouloir la détruire avec les armes occidentales — même celles des femmes — est une grande maladresse, un abus de pouvoir. Il faut laisser les femmes arabes déposer leurs ballots et dire : « Je ne marche plus. » Les raisons qu'elles donneront de leur révolte étonneront, de même qu'étonnent les agissements du peuple iranien et de ses chefs.

L'Occident est un colon qui a perdu ses terres, ce qui ne l'empêche pas d'avoir une mentalité de colon. Un colon est un homme qui s'exile en terre étrangère afin de cultiver cette terre au profit de son pays et à son propre profit. Ce n'est pas un acte gratuit. Il travaille dur et il se sert de son idéal national comme d'une trique. Le colon veut s'enrichir au meilleur prix et il fait cela sans vergogne car il est sûr de son bon droit puisqu'il est supérieur. Sa morale est la meilleure, son rythme est le meilleur, ses règles de vie sont les meilleures, ses régimes et ses lois sont les meilleurs, sa religion est la meilleure. En imposant cela il fait donc le bien. Il en est persuadé, il n'est même pas de mauvaise foi. Quand il doute, ce n'est pas de lui-même et de tout ce qu'il représente, c'est de la méthode qu'il a employée pour s'imposer.

Avoir cinquante ans, avoir vu le jour dans une famille de colons, vivre en France aujourd'hui, et être une femme par-dessus le marché, ce n'est pas rien. J'ai vu s'écrouler des empires, j'en vois naître d'autres et je jette sur le pouvoir un regard atterré. Quelle vanité! Comme le pouvoir est bête et manque d'humilité! Il devrait de temps en temps faire du couscous, ou du pot-au-feu s'il préfère. Il verrait l'alternance des lenteurs et des trépidations de la nature, il verrait se préparer des alliances obligatoires ou des guerres inévitables. Il apprendrait le respect, la patience, la confiance, il serait à l'écoute de l'ailleurs, de l'autre, du différent, de ce qui a une vie propre et ne peut, en aucune manière, être manipulé n'importe comment.

Le pouvoir devrait savoir qu'il n'y a pas que les spectateurs, dans la salle, à regarder les spectacles qu'il donne. Il y a aussi des gens en coulisses, et, des coulisses, on voit très bien le spectacle aussi, mais on le voit différemment. Je connais les deux places puisque je suis une fille de colon et une femme. Demander l'avis de ceux qui sont en coulisses, ce serait intelligent. Ne se fier qu'aux sifflets ou aux applaudissements de ceux pour lesquels le spectacle est donné n'est pas très avisé. C'est qu'il y a beaucoup de monde dans la coulisse et que sans ce peuple-là on ne peut pas monter de spectacles... Mais nous n'en sommes pas là. Je pense qu'il faudra attendre l'humiliation pour découvrir l'humilité.

La colère me reprend. Jamais je n'avalerai la guerre d'Algérie. Ni celle menée par la France, ni celle faite par les pieds-noirs. C'était une guerre infâme, dégradante et stupide.

Et douloureuse... douloureuse...

Ma belle terre, ma mère, ma génitrice, de quelle manière ignoble et basse je t'ai perdue!

7 mai.

Il faut absolument que je prenne ma place pour Alger. Je ne dois plus accepter les excuses que je me donne à moi-même pour retarder mon départ. Il faut que je cesse de faire des moulinets avec les mots, d'enfoncer des portes ouvertes et d'agiter des fantômes pas du tout effrayants puisqu'ils me sont familiers. Il faut que j'aille là-bas.

Le mois de mai à Alger. Mois des communions solennelles. Mois des « peutites mariées »... Je me rappelle pourtant qu'en mai on ne se mariait pas : c'était le mois de la Sainte Vierge, le mois de Marie.

Alger est une ville longue et courbée, une laisse de maisons et d'immeubles empilés entre les falaises et la mer. D'El-Biar à la Bouzaréa, de Kouba au Fort-l'Empereur. De Maison-Carrée aux Deux-Moulins.

A y penser maintenant, il me semble que les

Algérois aimaient leur ville et la connaissaient. Il y avait des ghettos à Alger, comme dans toutes les villes : ceux des riches, ceux des très riches, ceux des pauvres, ceux des très pauvres, ceux des Arabes, ceux des Espagnols, ceux des petits blancs, ceux des francaouis. Ça circulait beaucoup de l'un à l'autre. Le peuple de Bab el-Oued ou de Belcourt « montait » travailler dans les familles de Mustapha supérieur ou du Telemly. Qui « descendaient », elles, faire leurs achats, leurs courses, leurs marchés dans les bas quartiers. Le Front de mer appartenait à tout le monde ainsi que la rue Michelet (jusqu'au parc de Galland) et la rue d'Isly. La Casbah autour de laquelle la ville européenne s'enroulait était un lieu de dépaysement, l'étranger, dans lequel nous nous enfoncions le cœur un peu battant avec, inconsciemment, l'impression de violer — touristes dans notre propre ville. Je crois qu'en grimpant ou en dévalant les ruelles de la Casbah, qui sentaient les épices et l'égout, nous savions que nous étions les héritiers des conquérants vainqueurs.

A seize ans, au cœur de la Casbah, pas très loin de la cathédrale, première rencontre stupéfiante avec un mot : dans la ruelle des bordels, sur chaque porte fermée il était écrit « maison onette », « maison o net », « maison Honète », « maison onnette », « maison honête »...

Honnête... Qu'est-ce que ça veut dire au juste?

Deux lignes parallèles de tramways ferraillant transportaient les habitants dans des gerbes d'étincelles. Les CFRA le long du port, depuis Hussein Dey jusqu'aux Deux-Moulins, et les TA depuis le Palais d'Été jusqu'à la place des Trois-Horloges au fond de Bab el-Oued. Deux serpents braillards et cahotants.

A travers les fenêtres ouvertes (il me semble même que dans certaines voitures des CFRA il n'y avait pas de vitres du tout) on pouvait voir, au mois de mai, où en étaient les premières communions des paroisses, d'après le nombre de robes blanches qui trottinaient sur les trottoirs. Les curés savaient qu'il valait mieux célébrer cette fête au début du mois, cela permettait ainsi aux familles de promener longtemps leurs enfants en costumes. Il y avait mille raisons pour revêtir ces coûteux et uniques vêtements de cérémonie : visites à tous les membres de la famille, promenade du dimanche, fêtes de la paroisse ou du diocèse, pèlerinage à Notre-Dame-d'Afrique...

Et ça « tchatchait »!

« Qu'est-ce qu'elle est belle la peutite, dis! » « Qu'est-ce qu'il est beau le peutit! Où vous lui avez trouvé le brassard, madame Sanso? Aux Dames de France, non? » Ou encore : « La fille aux Sintès tu l'as vue? On dirait Martine Carol tellement qu'elle est belle. Des paillettes ils lui ont mis à la robe! » « Le fils aux Martinez ils lui ont foutu tellement de la gomina sur la tête qu'après y l'ont ébouillanté à moitié, il avait les cheveux comme du carton, le pôvre. »

Noces. Noces avec Jésus. Noces avec l'été qui commençait. Noces avec nos corps d'adultes que le climat formait déjà. Répétitions générales de nos futures noces. Couronnes de fleurs d'oranger et voiles pour les filles; en dessous paupières baissées et pupilles glissées pour lancer des œillades vertueuses. Hauts cols durs qui blessaient les cous des garçons et les forçaient à raidir les épaules, à cambrer les reins, à projeter le bassin en avant. Leurs costumes « itone » — « spenssère » et pantalons tubes — les transformaient en petits toréadors, les fesses moulées, hautes, comme deux olives noires et la braguette bombante. La puberté venait, elle était là, au ras de nos corps, nous la sentions et elle nous troublait. En l'honneur de ces fêtes religieuses, elle était à la fois soulignée par nos costumes et protégée par l'encens, les prières, l'ostensoir rutilant, les autels surchargés de lys, d'arums, de lin blanc, de roses et d'œillets blancs, de jasmin, dont les parfums faisaient tourner les têtes.

Première fécondation. Par notre bouche pénétrait en nous un homme décharné, en haillons, en sang, qui allait nous rendre meilleures. Le fruit de nos entrailles... Idées de petits, de ventres pleins, bientôt...

La première communion était un tournant dans notre vie. C'était la fin de l'enfance, l'entrée dans l'adolescence. Après, ce n'était plus pareil. Après ma première communion, je suis devenue plus française.

Durant les semaines qui précédaient le grand jour nous étions soumises, dans mon collège, à une préparation intensive. Les murs des salles de classe étaient tendus de blanc, même les pianos de la salle de musique étaient recouverts de housses blanches, nos bancs étaient habillés de jupes blanches; tout était blanc, couleur de la virginité. Les études étaient interrompues. Pendant les récréations personne ne pouvait courir ou crier, ni nous qui étions en retraite ni les autres. La bâtisse de l'école se recueillait autour des communiantes. Pendant tout ce temps les externes prenaient leurs repas à l'école. Séparées des autres, les futures communiantes étaient servies par les mêmes servantes qui d'habitude nous houspillaient et qui, en l'occurrence, étaient vêtues de blanc et nous traitaient avec un respect incroyable. Les tatouages de leurs visages et le henné de leurs mains ressortaient encore plus, devenaient incongrus, les aliénaient : des mécréantes, des païennes, des impures, qui n'avaient qu'à bien nous servir.

La pureté et la virginité étaient au centre de tous les sermons qui nous étaient faits à longueur de journées. Les prêtres de la paroisse voisine se succédaient auprès de nous, depuis les jeunes diacres jusqu'au vieux curé. Messes, sermons, méditations, chants... chants, méditations, sermons, vêpres. Le soir tombait quand nous rentrions chez nous la tête pleine de cette pureté impérative, impérieuse, autoritaire, exigeante, tatillonne. Intactes, nous devions être intactes, propres, nettes, dans nos pensées et dans nos corps. Sur nous reposait l'avenir de la pureté de notre peuple et de la catholicité. C'était lourd.

Jamais il n'était question directement de la virginité de nos corps et, en même temps, il n'était question que de ça. Ambiguïté. Inquiétude. Ce que nous avions de plus précieux se situait dans la zone la plus honteuse de notre « ventre ». Les filles, d'année en année, se transmettaient les clefs de ce qui n'était pas dit par les prêtres, ni par les professeurs, ni par les parents : l'hymen, le sang, l'œuf, le sperme, le phallus. Tout ça dans des termes imprécis, incorrects, avec, parfois, des détails inouïs qui épaississaient le mystère. Quels troubles, quels périls! La fente douce, tendre, encore à l'abri du pucelage, chaude comme une petite caille, inoffensive et cependant menacée. Virginité précaire faisant l'objet de toutes les convoitises, de tous les vices, et qu'il fallait défendre coûte que coûte pour un avenir d'amours sublimes et d'enfants splendides.

Les garçons, face à cette nacre sans défense, étaient — paraît-il — capables de tout : de la violer comme de la chérir. Les filles parlaient en catimini, le sang nous montait à la tête et, dans nos entrailles, en même temps que la peur, se précisait le désir. L'Homme, personnage terrifiant ou délicieux, le maître aux desseins imprévisibles qui veut à la fois de la vierge et de la putain. Comment être les deux? L'avenir était palpitant et dangereux.

Bouleversement : je découvrais que chez les

Français aussi le mariage pouvait être une sauvagerie.

Depuis les noces de Zorah, à la ferme, je savais que les Arabes n'étaient pas comme nous, qu'ils avaient un côté bestial. Pendant la retraite de ma première communion j'ai su que nous n'étions pas mieux. Plus hypocrites, c'est tout.

...

Images anciennes. Moiteur de la transpiration. Pincements dans les reins et le ventre. Premier souvenir de la copulation humaine.

Un vieux originaire d'un douar proche d'Aboukir allait épouser Zorah, une copine de la ferme qui venait d'avoir treize ans. Il l'avait achetée pour trois chèvres, deux moutons, des sacs de blé et un louis d'or. Un trésor. Zorah s'en trouvait énormément valorisée. On la regardait avec admiration, on chuchotait à son propos des mots que je ne comprenais pas : la *rhatchoune*, elle n'avait jamais été cassée. Maintenant, quand elle sortait chercher de l'eau pour sa mère, elle tenait bien serrés entre ses dents deux bouts de la serviette de toilette qui lui servait de voile. Bientôt elle aurait un haïk, un vrai, son père l'avait dit. Il irait à Mostaganem acheter le plus beau qu'il trouverait, en soie peut-être.

Le jour du mariage on m'avait laissée aller

avec les femmes dans la *raïma* de Zorah. Préparation du repas de noces, un festin. Ça sentait bon partout. Avec les enfants excités je chapardais des raisins secs, des bouts de gâteaux, de la farce à la menthe, de la galette toute chaude.

Ensuite, j'ai assisté à la toilette de Zorah. Les femmes de sa famille l'ont lavée de la tête aux pieds puis elles ont massé son corps avec une huile qui sentait fort, elles lui ont arraché tous ses poils. Le corps de Zorah ressemblait à un fuseau de soie luisante. Après, elles l'ont habillée de tout un tas de jupons qui tenaient raides et d'une robe magnifique, énorme. Zorah était obligée de garder ses bras écartés pour ne pas écraser cette profusion de beautés et, quand elle marchait, ça bruissait autour d'elle, elle ressemblait à un lourd papillon. Sa mère lui avait brodé de jolies babouches vertes. Ensuite une spécialiste, une vieille que je n'avais jamais vue, l'a maquillée. Deux ronds rouges sur les joues, du khôl sur les yeux et du khôl aussi à la place des tatouages qu'elle n'avait pas : sur le front, le menton et les poignets. Ses cheveux, la plante de ses pieds et la paume de ses mains étaient teints de henné frais. Les yeux de Zorah étaient brillants et graves, ils me faisaient penser à ces lampions qu'on sortait dans les jardins la nuit de la fête des vendanges et dans lesquels brûlaient des bougies. Puis on lui a mis de longues boucles d'oreilles incrustées de corail et on a noué sur sa tête deux ou trois foulards de soie brodés de sequins d'or du côté du front et se terminant en longues franges souples ailleurs; un véritable casque ne laissant plus voir du visage qu'un triangle ouvragé. Par-dessus tout ça un beau haïk tout neuf, raide, encore cassé par ses plis de repassage.

Alors les femmes se sont mises à pousser des iouious. Le cadi est venu avec le marié, un vieux qui avait au moins cinquante ans et portait un beau tarbouch enroulé autour d'une chéchia neuve, un gilet brodé, une chaîne de montre qui lui pendait sur la bedaine et un séroual dont les plis étaient impeccables. N'empêche qu'il était vieux et moche, je me souviens de ça. Toutes les femmes, voilées, poussaient de petits cris et s'énervaient de petits rires. Nous les enfants on nous a fait déguerpir pendant la cérémonie religieuse.

Dehors on a bâfré à s'en rendre malade : du méchoui, du couscous, plein de gâteaux, des dattes et de la limonade. Puis, quand la musique a commencé à devenir entêtante et que des femmes du Sud, sans voile, se sont mises à danser pour les hommes devant les feux de sarments qui pétaient sec, ma mère m'a fait rentrer. Je n'étais pas d'accord mais je n'avais pas à discuter. Et même elle m'a ordonné de ne plus bouger de ma chambre. J'avais assez bu, assez couru, assez dansé, assez mangé, je devais dormir.

Comment dormir avec le bruit que faisait la fête dans la cour! Dans une des lames des volets de ma chambre il y avait un nœud du bois qu'il était possible d'enlever. C'est par cet œil secret qu'à l'heure de la sieste je pouvais voir qui traînait dehors et ainsi sortir sans être vue. C'est par là que j'ai aperçu le marié entrant dans la pièce basse où se tenait Zorah. Les chants et les danses ont continué. Au bout d'un long moment l'homme est revenu. Derrière lui la famille de Zorah a sorti des draps, du linge qu'on a dressés devant la porte, étendus sur une corde. Ils étaient pleins de sang, d'un sang tout frais encore.

Alors la noce a hurlé de joie. La stridence des iouious des femmes est devenue insupportable.

Mal dans le ventre. Mal dans le ventre. Quitter la fenêtre. Me lover dans mon lit. Me boucher les oreilles. Dormir.

Terreur de ne plus être vierge. Cauchemars. Une plaie, du sang. C'est par cette blessure-là que se vérifie la pureté... Les Arabes ont, paraît-il, des trucs pour raccommoder la *rhatchoune* si on n'est plus vierge, on peut aussi, dans ce cas, le soir de ses noces, presser le jus d'un citron au bon endroit, ça resserre les chairs...

Oui, mais c'était au-delà du fait physique que se situait la véritable honte, la véritable faute et c'est de cela que nous entretenaient les prêtres et les femmes : du péché. Comment ne pas le commettre, comment rester pures? Perversité du péché : immatériel il appartient cependant à toute matière. Il est dans notre bien-aimé soleil, dans nos bien-aimées vagues, il est dans la danse, il est dans les larmes, il est dans les cris, il est dans les regards, il est dans le miel. Il est partout. Sensualité. Perversité de la sensualité : savoir jouer avec elle mais ne jamais la laisser prendre le dessus...

Quand arrivait le jour de la première communion c'étaient des petites femmes qui entraient à l'église, ce n'étaient plus des petites filles. Nous étions bonnes à marier avec le Christ et avec les hommes aussi.

Mois de mai à Alger. Le 13 du mois...

Des hommes parlent. Ils parlent comme des

tonnerres. Ils parlent comme des tremblements de terre. Ils parlent comme des cataclysmes. Ils sont en uniforme d'officier français. Ils proclament tout haut ce qu'aucun pied-noir n'aurait osé proclamer : ils en ont marre de la France telle qu'elle est. La France a perdu sa pureté. Eux, ses chevaliers servants, eux qui ont cassé du Viêt, et qui cassent maintenant du fellagha, savent de quoi ils parlent quand ils parlent de la France, ils l'ont épousée, ils lui ont donné leur vie. Mais ils ont trop longtemps guerroyé au loin. Pendant leur absence, elle, fragile comme toutes les femmes, n'a pas su se défendre des mauvais hommes, on l'a salie. Il faut rentrer au foyer et lui rendre sa pureté. Ces discours sont un nectar pour la majorité des Français d'Algérie. Ils les boivent avec délices. Ils se dressent et suivent les valeureux officiers.

C'est l'insurrection.

C'est la guerre civile pour que renaisse la France de Jeanne d'Arc, la France des croisades, la France des conquêtes, la France sainte et souveraine. La France belle, jouisseuse, gourmande, forte, pure. La France dont sont amoureux ceux qui en sont tenus éloignés, amoureux fous. Ils la révèrent, ils l'idolâtrent et ils tâchent de la célébrer et de la séduire dans ces morceaux de terre qu'elle leur a lancés à travers le monde : les colonies.

Il n'y a pas de femme plus belle, il n'y a pas de sacrifice trop grand pour elle. Fanatisme. Folie.

Je ne cherche pas à excuser le peuple des pieds-noirs dont je fais partie. Il est inexcusable. Mais je sais d'où est venue sa perdition : d'un amour passionné. Peuple en rut, chien en chaleur auquel on veut prendre sa femelle. Rien que ça, et tout ça. Impossibilité d'imaginer qu'on ne va pas encore copuler avec sa terre et la féconder et la parer. Passion aveugle, brutale, bestiale, stupide, mais passion authentique et archaïquement pure.

Que sont les indigènes qui vivent sur cette terre et qui ont l'outrecuidance de la revendiquer? Rien. Des fourmis. Il n'y a qu'à leur pisser dessus.

Qu'a fait la belle et coquette France, dans sa sagesse et sa sainteté, depuis qu'elle a conquis l'Algérie? Dans un premier temps elle s'est laissé aduler par ces amants fougueux qui sentaient un peu trop l'ail et le patchouli. Mais ils lui offraient leurs corps et leur fanatisme pour ses guerres et elle en a bien usé, les marquant ainsi un peu plus de son sceau. Elle favorisait leurs vices. Elle leur donnait des décorations, des rubans, des babioles, qu'ils vénéraient comme des reliques.

Et puis il y a eu du pétrole. Ça c'était intéressant. La France alors a daigné se pencher vers ses citoyens algériens, elle a essayé de faire régner sa sagesse et sa loi. Mais c'était trop tard. Ses amants imbéciles avaient tout gâché, ils s'entre-tuaient avec leurs frères-fourmis. Ils s'obstinaient, ces retardés, à vouloir lui garder cette terre pour pouvoir continuer à lui offrir des branches de jasmin, des couronnes de fleurs d'oranger, du vin à quatorze degrés, du blé noir, des fruits gonflés de jus, des poissons d'or et d'argent.

— Arrêtez de me donner toutes ces broutilles. Arrêtez de vous battre! Pensez au pétrole!

— Le pétrole! Quel pétrole?

... Il y avait peu de pieds-noirs riches. Très peu. Et ce ne sont pas les moins riches qui ont le moins massacré... et le moins souffert...

Je sais qu'il y avait des intérêts et même, pour une poignée de pieds-noirs, des intérêts importants. Mais ce ne sont pas ces intérêts qui ont fait l'OAS, c'est l'amour aveugle du pays, l'amour fou de cette terre.

Même pour ceux — la majorité — qui ne possédaient pas de terre, il y avait un attachement passionné à ce ciel, à cette mer, à ce vent, à cette chaleur, à ces montagnes. C'était une contrée pauvre qui ne cessait pourtant de donner. Petits cadeaux précieux offerts par le pays lui-même, sans qu'on lui demande rien. Parfum des glycines qui parvenait, par bouffées, jusqu'au centre de la ville. Vision du Djurdjura couvert de neige, au-dessus des grues du port, par-delà la baie, dans le ciel précis et tellement bleu des hivers. Poissons de toutes les couleurs pour une infinité de bouillabaisses. Oursins pour des milliards de pastis. Pensées de Chréa, violettes ou jaunes, au coin des rues. Les orangers de la Mitidja. Les roses de Blida. Les cyclamens de Baïnem. Je me souviens des autobus du dimanche, à la fin de l'hiver, qui rentraient à Alger bondés de pique-niqueurs enluminés de leurs premiers coups de soleil; les hommes avec sur la tête un mouchoir noué aux quatre coins, les femmes et les enfants somnolant, tous tenant précieusement un bouquet rond de cyclamens qu'ils ramenaient chez eux comme un trésor.

On ne tue pas pour ça, me dira-t-on. Idées de femme. Pour ça, en soi, non. Mais pour ce que ça suscite en chacun, d'année en année, de génération en génération, pour ce que ça brasse de plaisir, de désir, de jouissance, de sensualité, de charme, de séduction, pour ça, oui. Chaque éclat de senteur, chaque parcelle de couleur, chaque bout d'image, chaque écho de rythme, sans cesse perçus, enregistrés, reçus, sentis — en allant à l'école, en travaillant, en se reposant —, sécrètent et échafaudent une vie. Une vie faite de sensations, d'émotions, de sentiments, d'impressions; une vie nerveuse, une vie langoureuse, une vie douloureuse, une vie sensuelle, une vie de pied-noir. Une vie où la communication entre le pays et l'être se fait constamment. Pays qui sent fort, pays qui brûle, pays qui glace, pays rude qui malmène, pays tendre qui caresse, pays qui n'est, après tout, qu'une mère adoptive, une étrangère à laquelle on peut donc faire l'amour... Quand on naît là il n'y a pas de choix à faire, la sorcellerie opère tout de suite, il n'y a pas le désir de choisir l'ailleurs, on se laisse façonner, avec délices. Finalement, les familles se perpétuant, les gens de là-bas étaient comme une végétation ou une faune propre à cette terre. Avec une réflexion locale, si je peux dire. Une réflexion qui servait à vivre là et nulle part ailleurs. Ils savaient que c'était à la France qu'ils devaient cette terre et ils lui en étaient reconnaissants jusqu'au sacrifice aveugle, jusqu'à la bêtise.

Il n'y avait pas de cheminées d'usine, de bâtiments sévères, de constructions austères et vastes, chez nous. Aucune architecture qui fasse penser au monde, aux continents, à l'étranger. Seulement des monuments aux morts, des maisons provinciales, et des briqueteries, des fours à chaux, des caves à vin, quelques raffineries d'huile d'olive... de quoi vivre là. Et le port avec son vacarme, son activité, ses coups de sirène? Oui, mais il sentait les épices et le poisson séché, le bois de cèdre et le bois de pin, les melons trop mûrs et la vinasse... des produits d'ici.

D'ici, de chez nous, chez nous.

Formidable méfiance des autres. Les Français de France étaient des étrangers. Pas les Arabes... Mais c'était plus valorisant d'être français qu'algérien! Colossal orgueil frisant la crétinerie.

12 mai.

Je n'ai toujours pas retenu ma place. Je sens que si je tarde trop je ne pourrai plus partir, les avions et les bateaux seront pleins. La peur me prend de faire ce voyage seule. Depuis hier l'idée de demander à ma fille de m'accompagner trotte dans ma tête. Est-ce que je me cherche encore des excuses pour ne pas aller là-bas?

Pourquoi cette peur?

Est-ce la peur d'être confrontée à moi-même?

Est-ce la peur d'être déçue?

Est-ce de découvrir que l'Algérie n'est plus rien pour moi et de me trouver en perdition, encore plus déracinée qu'avant?

Est-ce la peur de constater que la culture française a pris le pas sur l'autre?

Est-ce la peur de me sentir étrangère chez moi?

Je ne sais pas. Je me recroqueville en ce moment. Je laisse passer les jours et quand je décide de prendre date pour le départ, je découvre que les heures d'ouverture des bureaux sont passées et je remets au lendemain.

13 mai.

J'ai décidé ma fille à venir me rejoindre. Elle est la seule de mes enfants qui n'ait pas vu le jour en Algérie.

J'aimerais qu'elle écrive son journal de voyage, elle aussi. Elle écrit très bien. Mais elle n'a pas l'air décidée à le faire. On verra... Pour elle c'est une balade. Elle comprend ce que ces retrouvailles représentent pour moi de bouleversant et d'inquiétant, elle comprend mon appréhension, ma peur. Ça l'attendrit. Je crois qu'elle viendra pour me protéger. Cela me touche.

Hier soir, en parlant avec elle, tandis que j'essayais de lui expliquer pourquoi je craignais d'aller là-bas toute seule — ce qui était confus car je ne sais pas moi-même comment qualifier cette crainte — j'ai commencé à comprendre que j'avais mauvaise conscience aussi.

Mauvaise conscience d'avoir vu exploiter le peuple algérien sans rien dire et mauvaise conscience d'avoir laissé faire la guerre que nous lui avons faite.

En même temps je ne peux pas ne pas penser que c'est chez moi là-bas, que c'est là-bas que je suis née, que c'est là-bas que j'ai commencé à regarder, à comprendre, à entendre, à aimer. M'arracher l'Algérie c'est arracher ma tête, mes tripes, mon cœur et mes âmes. C'est chez moi, il n'y a pas à dire, et je n'ai pas à avoir mauvaise conscience de ça, malgré TOUT.

Ce qui me déchire c'est de penser que j'irai à l'hôtel, qu'il faudra montrer mon passeport, qu'on me conseillera, qu'on me guidera comme une touriste, une étrangère, que je paierai pour passer là quelques jours. Alors que ce que je voudrais, dans le fond, c'est débarquer à Alger, prendre un taxi et rentrer à la maison, dans ma chambre. Je n'ai pas de maison ailleurs. Et pourtant je n'en ai plus là-bas non plus. Je serai bien obligée de le constater. Ça me met en déséquilibre d'y penser.

Je me méfie de moi. J'ai peur d'aller au cimetière de Saint-Eugène, de monter jusqu'à la tombe de mon père et de ma sœur, de m'asseoir dessus, de pleurer et de n'en plus bouger. De dire : « C'est chez moi ici, il y a mon nom gravé dans le marbre, CARDINAL, vous ne pouvez pas dire le contraire. »

Ce serait lamentable.

Impression de vague, de vide, de vertige. Souvenirs désagréables, anciens, avec un creux en moi, un chagrin dégoulinant de larmes et de morve.

Souvenir d'un homme que j'ai aimé longtemps, beaucoup. Un homme avec lequel je me suis battue aussi et duquel je me suis séparée parce que, vraiment, ce n'était plus vivable. En être enfin bien débarrassée, retrouver mes rythmes à moi, mon autonomie. Et puis un jour le rencontrer avec une autre, ou seul. L'entendre parler d'une vie dont je ne fais plus partie, une vie exempte de moi. Le fait que je connaisse tous ses mouvements, toutes ses manies, comment il se lave, comment il fait l'amour, comment il est fatigué, comment il fait la gueule, comment il entre en lui-même, ses goûts, ses heures, ses sommeils, tout cela n'empêche pas mon exclusion totale de sa vie. C'est insupportable... je n'ai jamais perdu un homme...

Qu'est-ce que cela veut dire? Que je suis possessive?

Pourtant je n'aime pas posséder, je ne possède rien. Quand quoi que ce soit entre en ma possession je le donne immédiatement, ou je le partage. Je ne suis pas jalouse. Je ne suis pas envieuse. Mais je veux qu'on m'aime, qu'on continue à m'aimer. Je ne demande pas l'exclusivité de l'amour mais je veux de l'amour, je veux rester dans la fête de l'amour, ne pas en être écartée.

Ça m'est égal que l'Algérie ne vive plus avec moi mais je veux qu'elle m'aime encore et de cela je ne suis pas certaine du tout.

Je sais que toutes « mes » portes seront fermées devant moi et qu'il faudra que je sonne ou que je toque pour les faire ouvrir. Mais les ouvrira-t-on, et me laissera-t-on entrer?

Je viens d'aller prendre mes places. Je pars le 23 mai et Bénédicte le 25. Je veux être seule pour les retrouvailles.

A l'agence de voyages, ils m'ont sorti des dépliants avec des photos et des noms : un Targui en tarbouch, Zéralda, le Mzab, Tipasa, Alger vu du Clos-Salembier à travers les branches d'un pin maritime... Une Algérie d'opérette.

Ces clichés me rappellent mon enfance, quand on nous faisait chanter à l'école : « Tu n'as pas vu Alger-la-Blanche, la capitale de chez nous, YUMBA... Là-haut dans les pins, sous les branches, regardons-la d'un œil jaloux, car jamais une cité ne fut si bien partagée que la capitale de chez nous, ALGER. » Je n'aimais pas le Yumba, il me paraissait folklorique — le folklore algérien vu par les Français de France —, il faisait danse du ventre pour touristes. D'autre part je ne comprenais pas ce que voulait dire « une cité bien partagée ». Partagée comment? Comme un gâteau?

Il est vrai que j'étais assez bornée côté chansons de marche et que je ne comprenais pas mieux le « sankimpur » de *la Marseillaise :* « Qu'un sankimpur abreuve nos sillons » est longtemps resté une énigme, une formule cabalistique. De même, je me demandais ce que venait faire le jeu de l'oie dans l'hymne national de ma formidable et lointaine patrie : « Allons enfants de la patri-i-e, le jeu de l'oie est arrivé »... Mystères. Quand ma mère était petite elle avait un professeur de diction qui lui apprenait les fables de La Fontaine en lui faisant faire toutes les liaisons. Si bien que ma mère a longtemps cru que le loup s'appelait M. Pélagno...

Depuis que je sais quand je pars, il y a un tas de défenses qui se sont organisées en moi. D'abord je ne pourrai rien comprendre et on ne pourra pas me comprendre puisque je ne sais pas lire l'arabe — je ne l'ai jamais su — et je ne sais plus le parler — je le parlais couramment. Je n'arrive plus à construire une phrase entière. Je serai donc dans l'impossibilité de communiquer.

Cet hiver je suis allée en Égypte pour diriger une tournée de débats dans les universités et les centres culturels. J'ai entendu parler l'arabe. Jaillissaient de partout des mots que je comprenais : presque tous les chiffres, le pain, l'eau, bonjour, beaucoup d'autres. Ils sautaient comme de petites puces de mer dans une langue qui m'était, d'autre part, étrangère. Ravie, je me suis lancée dans des phrases que personne ne comprenait. Échec total. On m'a expliqué que l'arabe d'Algérie était un dialecte mais que j'avais un bon accent. Évidemment, c'est comme si on me disait que je prononçais bien le français. Pour satisfaire mon désir soudain de me remettre à parler l'arabe je m'obstinais et je m'aventurais dans des conversations où je colmatais mes oublis par du français arabisé ou même par de l'anglais ou du portugais. Une catastrophe! Enfin j'ai admis que, dialecte ou pas dialecte, bon accent ou pas, je ne savais plus parler la langue de mon pays.

Vague espoir quand même. Souvenir.

Quand j'avais vingt ans il m'est arrivé une drôle d'histoire :

J'étais dans une voiture conduite par une de mes amies, sur la route entre Bône et Philippeville. C'était en plein été, en plein midi, il faisait très chaud.

Nous voulions aller déjeuner avec des « copains » à Philippeville. Nous étions un peu folles, mon amie et moi, un peu excitées, des histoires de garçons plein la tête. Je ne sais plus comment elle s'est débrouillée pour emprunter une voiture, mais elle y est arrivée. Ç'avait pris du temps. C'est comme ça que nous nous sommes trouvées roulant à toute allure sur la route, à une heure où personne ne sort sa voiture parce qu'il fait trop chaud; l'asphalte fond, l'eau du radiateur s'évapore, etc. Nous savions tout ça mais le moteur des désirs qui nous poussait à partir se moquait pas mal de la mécanique.

La route était droite, sans un arbre, sans une ombre. Par les vitres ouvertes ce n'était pas de l'air qui entrait mais une confiture en ébullition de bruits chauds : le moteur poussé à fond et les cigales en folie.

Ce qui devait arriver est arrivé : les deux pneus de devant ont éclaté, ensemble. La voiture a capoté. Elle a piqué du nez et a tourné deux fois en l'air. Deux soleils supplémentaires. Durant les quelques secondes où cela s'est passé j'ai vu la nature tournoyer autour de moi. Deux fois le ciel sous les pieds et la terre sur la tête. J'ai pensé que j'étais morte et que cela ne faisait pas peur de mourir. Par les fenêtres les vignobles roulaient.

Dès le premier choc, à l'instant où les pneus ont éclaté et où la voiture s'est mise à tournoyer, mon amie avait été projetée contre le rétroviseur et, assommée, elle était retombée sur moi. Ainsi, pendant nos deux loopings, alors que je me croyais déjà dans l'au-delà, je la tenais serrée contre moi. Nous formions un bloc.

Puis il y a eu un grand splash et l'immobilité. J'ai attendu. Il m'a fallu quelques instants pour me convaincre que je n'étais pas morte. Alors la peur m'a prise : l'auto allait se mettre à brûler, il fallait que je me sorte de là et que je sorte ma copine qui était évanouie. Je n'étais plus assise dans une voiture mais dans un tas de ferraille qui n'avait aucun sens. Il n'y avait plus de portes, plus de vitres, plus d'avant, plus d'arrière. Par où sortir de là? J'ai donné un coup de pied n'importe où, comme je pouvais, dans la tôle en bouillie dont un pan est tombé. J'ai fini par me dégager et par tirer Nicole qui est revenue à elle tout de suite. Elle a trouvé l'ombre d'un pied de vigne où elle s'est recroquevillée, prostrée.

Moi je restais debout sur la route encombrée des débris de notre véhicule. La chaleur était effrayante. La terre vibrait, tremblait, les cigales s'acharnaient. Rien que des vignobles plats jusqu'à l'horizon, en pleine jouissance, en pleine fécondation.

C'est alors que j'ai vu arriver un ouvrier. Mon oncle disait toujours : « Où que tu ailles il y a toujours un Arabe. Au milieu du désert, au milieu de la nuit, tu ne sais pas ce qu'il fait là mais il est là. » L'homme qui se tenait en face de moi venait de nulle part. Il n'y avait aucune habitation, aucun gourbi, aucun chantier par là. Il sortait de la vigne, ahuri, avec cette expression enfantine qu'ont sur le visage les Arabes quand ils sont surpris. Il s'est dressé et il s'est mis à parler. Il avait peur de moi parce qu'il avait assisté à l'accident et il était certain qu'on ne pouvait pas réchapper à un pareil choc. Alors, comme il me voyait là, bougeant, il m'a demandé si j'étais une vivante debout ou une morte debout. Si je lui avais répondu que j'étais une morte debout, il aurait pris ses jambes à son cou et il courrait encore. Mais comme je lui ai dit que j'étais une vivante debout, il est venu vers moi en braillant, les yeux écarquillés : il avait vu l'auto sauter comme une chèvre.

J'étais contente de le voir, il était mon semblable, il était vivant comme moi. J'étais contente de pouvoir parler, de partager ma peur de tout à l'heure et ma joie de maintenant. Je vivais! Je parlais, je parlais. Je lui racontais ce qui s'était passé, d'où je venais, où j'allais, etc. L'homme m'écoutait, répondait, racontait ce qu'il avait vu, lui, mais pendant tout ce temps il ne me regardait pas, il regardait en dessous de mon visage. Cette attitude étrange a fini par me faire revenir complètement à moi, à me faire réintégrer ma personne que le choc et la frayeur avaient éparpillée.

Dans un premier temps je me suis rendu compte que je parlais arabe, que cela faisait cinq minutes que je parlais arabe. Alors qu'il y avait des années maintenant que je ne le parlais plus. En devenant adolescente j'avais perdu le goût des vacances à la ferme, je préférais les passer en France ou sur les plages où nous nous retrouvions entre jeunes Français. Mes amis étaient tous français. Dans mon collège il n'y avait que des Françaises, à l'université il n'y avait que des Français.

Qui parlait à cet homme? La petite fille. La petite fille que j'avais été qui parlait autant l'arabe que le français et qui était sortie intacte de l'accident. Cette constatation surprenante a fait que, tout à coup, je n'ai plus su parler arabe, je me suis mise à bredouiller. Seulement des bribes de mots, du cafouillage, du petit nègre comme les Français en parlaient aux domestiques.

Dans un deuxième temps, je me suis aperçue que, si l'ouvrier ne me regardait pas pendant que je parlais, s'il regardait plus bas que mes yeux et ma bouche, c'est qu'il regardait ma poitrine. En effet, au cours de l'accident les bretelles de ma robe d'été avaient cédé, le haut avait chaviré par-dessus ma ceinture et je me trouvais torse nu!

En vitesse j'ai réparé ce désordre d'autant plus gênant que Nicole en tombant sur moi avait laissé sur mon sein droit une marque de rouge à lèvre éclatante, une bouche entrouverte bien dessinée, bien appliquée, d'un rose aguichant... En quelques secondes la petite fille a disparu et je suis redevenue une jeune Française digne, effarouchée, face à un bicot sauvage et mal dégrossi. J'ai eu peur du viol. J'ai cru que cet Arabe allait profiter de mon désarroi et me violer.

Au lieu de ça il est allé chercher du secours.

Je me souviens de mon soulagement en voyant arriver la guimbarde d'un colon français bien vociférant, bien vulgaire. Il gueulait qu'on le dérangeait et que les femmes c'était pas fait pour conduire mais pour rester à la maison. Sauvée...

Est-ce que la petite fille va venir à ma rescousse quand je serai là-bas? Mais je crois que les miracles c'est comme les bombes, ça ne tombe pas deux fois sur la même personne.

14 mai.

On vient de me téléphoner de l'agence de voyages pour m'avertir que l'hôtel Saint-Georges était fermé et l'hôtel Aletti réquisitionné. J'irai à l'hôtel Aurassi qui est nouveau, que je n'ai jamais vu, que je ne peux pas imaginer. Il domine le centre, paraît-il; au-dessus de la Poste, du monument aux morts, du forum, du côté des Tagarins.

Bon, tant mieux, je verrai ma ville sous un angle inconnu.

Tant mieux, c'est vite écrit... Avec le Saint-Georges s'envolent les jardins. Je comptais sur eux pour ne pas me perdre.

Il faut que j'écrive pourquoi je remplis ces pages. Il faut que je dise quel enjeu est ce voyage. Retrouver mes racines. Me confronter avec moi-même. Revoir les lieux de mes commencements. Tout ça ce n'est pas de la blague, c'est vrai. Mais pourquoi maintenant? Pourquoi pas il y a dix ans ou dans dix ans?

Parce que je ne sais pas faire mon prochain

livre. Je ne sais pas progresser en lui. A peine une centaine de pages écrites depuis plus de deux ans. Sans arrêt des blocages, des murailles qui s'élèvent devant moi, infranchissables. Impression d'être dans une prison de laquelle je ne sortirai que lorsque j'aurai fini ce livre. Impression que j'ai perdu des maillons de ma vie, certaines clefs. Impression que je me suis trop francisée, que j'ai oublié quelque chose, quoi?

Ça a commencé quand j'ai remis le manuscrit terminé de mon dernier roman. En sortant les mains vides de chez mon éditeur, la panique m'a prise. Comme d'habitude dans ces cas-là je me suis affolée : je n'écrirai plus jamais. Jamais plus je ne retrouverai cet état, cette inconscience, ce recueillement, ce désir, ce phénomène par lequel on s'enfonce dans un livre. A chaque manuscrit rendu c'est la même perdition : je n'ai plus de manuscrit en train donc je ne suis plus rien. Je suis un précipice, un creux, un vide. C'est alors que je me rends compte que le prochain livre s'est déjà ébauché en moi, pendant que je terminais l'autre.

Cette fois, envie de parler du père, de l'homme-père. Oui, mais c'est très imprécis, je n'ai pas de structure, je ne sens pas de rythme, je ne conçois aucun élan suffisamment fort pour me projeter pendant plusieurs années dans des piles de pages.

Pourtant il faut que j'écrive, sinon je suis perdue.

C'est comme ça que je me suis lancée dans l'histoire de Clytemnestre, par jeu, pour ne pas « perdre la main », en attendant que se fasse plus précis le goût d'écrire sur le père. Clytemnestre c'est moi, puisqu'elle a trois enfants, qu'elle a supprimé le mari, qu'elle est méditerranéenne. J'écris en m'identifiant complètement à ce personnage mythologique.

Je pars en vacances en oubliant mon manuscrit, ma Clytemnestre en colère parce que ses enfants la harcèlent, Electre et Oreste qui veulent venger leur père... et Iphigénie qui ne se remet pas de son sacrifice raté...

Je ne peux plus écrire.

Campement au bord d'un lac québécois. Solitude absolue. Sauvagerie. Pas d'humains, pas d'électricité, pas de moteurs. Des animaux, des plantes, des arbres, des étoiles immenses la nuit, des cascades. Je lis *l'Œuvre au noir* de Marguerite Yourcenar. Envie de raconter l'histoire de mon père. Je ne la connais pas. Comme ça je pourrais m'inventer un père à mon goût en brodant autour des quelques éléments que je possède. Avant, je pensais au père en général, je ne pensais pas au mien en particulier... Pages.

Retour à Paris. Je retrouve Clytemnestre oubliée, mon père vient de naître dans un cahier. Nécessité de les unir. Impossibilité de les unir. Abandon de cette union absurde.

Je pars quelques jours pour la Normandie avec ma fille. Solitude dans une nature mouillée, océanique, dans une maison abandonnée par les vacances. Feux de bois. Ma fille et moi : Electre et Clytemnestre devant les flammes. Chacune privée de père. L'une parce qu'il est un oiseau, un mythe, un dieu. L'autre parce que sa mère l'a supprimé... Mais ma mère aussi a supprimé mon père; j'ai été Electre avant d'être Clytemnestre. Clytemnestre et Electre, identiques et ennemies, à cause du père.

J'ai cinquante ans maintenant, la vie recommence. Une nouvelle liberté se présente aux femmes de cet âge. Une liberté immense grossie de toute une existence, riche de tout ce que la liberté ne possède pas ordinairement : le recul, l'expérience, la mémoire, la réflexion, le choix. Une liberté fragile de tout ça aussi. Gullivéra la géante paralysée par les milliers de fils minuscules du souvenir, de la loi, de la science, de la morale, de la famille. Gullivéra qui arrache ces amarres sans importance, ou du moins dont elle connaît la relative importance, et qui unit Clytemnestre au père. Inceste, meurtre, pouvoir.

Les tabous, le sacré, les mythes. Y toucher c'est toucher au dieu, toucher à l'homme. Exercice périlleux auquel je me livre depuis deux ans passés en essayant d'écrire mon livre. Je ne cesse de tomber, de me blesser. Je me heurte aux ignorances, à la mienne et à celle des autres. Pour progresser dans ce noir je n'ai qu'une petite lumière : ma vie. Elle ne suffirait pas si de partout, des quatre coins du monde, ne me parvenaient des lettres, des mots, des voix, des phrases, des regards, des mains qui, en réponse à mes précédents livres, disent : « Nous sommes pareilles, pareils », et qui me forcent à continuer.

Je ne suis ni poète ni philosophe malheureusement — ou heureusement, je ne sais pas —, mon livre ne passera donc pas par les sommets de ces arts; comme tous mes autres livres il passera par le quotidien, le banal, la matière, c'est là qu'est la source de ma force. Force fragile qui veut s'aventurer sur les grands chemins embourbés de l'existence sans s'appuyer sur les béquilles de ce qui est déjà théorisé, déjà scientifiquement prouvé, déjà déterminé par les humains.

Il n'y a pas de déjà, rien n'est acquis, tout est

en perpétuel devenir. Il faut être une femme pour sentir dans sa chair même, dans ce qu'il y a de plus évident et cependant de plus mystérieux, la meurtrissure des amarres de l'humanité. Aborder les mythes mais cette fois avec une tête et des yeux de femme, telle est ce que je veux bien appeler mon invraisemblable prétention. Pourtant je sais que c'est avec la plus grande humilité que je dois plonger dans ce courant.

Humilité du départ, du commencement, de la naissance. Impuissance et puissance du premier grain de vie. Pour moi c'est en Algérie que ça se passe. Non parce que je suis née là — ma naissance n'a pas d'importance —, mais parce que les rythmes de l'univers qui sont communs à tous les humains sont entrés en moi là, c'est là que je les ai connus. Pour continuer à vivre avec les autres je dois retourner là-bas, laisser ces rythmes me pénétrer de nouveau, retrouver les échos les plus anciens du sang qui bat en moi comme en nous tous. Parce que c'est là que je les ai perçus pour la première fois. Il me faut ce cadre-là, cette chaleur, ces palmiers, ce langage, ces vagues, ce sol, ces odeurs, ce sec, ce pourri, pour rencontrer peut-être ce que je cherche. En France je n'y parviendrai jamais.

Ainsi, ce n'est pas un voyage sentimental que

j'entreprends. C'est un voyage de science-fiction : embarquer dans l'engin le plus sophistiqué qui ait jamais été conçu — une personne, moi en l'occurrence —, et partir à la recherche d'un simple point de départ, d'une palpitation archaïque, primaire, primordiale : une créature.

Les chiens sont lâchés, ils se sont élancés dans une course affolante, terrifiante. Par l'allée d'oliviers ils courent jusqu'à la forêt, en haut de la colline, puis ils dévalent jusqu'à la ferme. Gênés par les rangées parallèles des vignes, leur chasse est zigzagante. Leurs abois lacèrent la nuit tiède. Ils sont huit. Ils se sont réparti équitablement le terrain. Par leurs cris incessants ils se situent les uns par rapport aux autres et se renseignent sur leurs proies. Ils traquent les chacals. Ceux-ci, renards de l'ombre, voleurs de poules, veules, galeux, courageux, hurlent à la mort. Par instants leurs plaintes saccadées grimpent jusqu'à la lune. La queue basse, comme des chiens qui ont peur — mais ce ne sont pas des chiens —, ils se glissent d'ombre plus profonde en ombre plus profonde. Ils sont conscients du danger et l'affrontent par la ruse. Ils ont faim, ils veulent manger, ils veulent les ordures de la maison, des chevreaux s'ils le peuvent, ou de la volaille piaillante.

Dans la ferme tout le monde a entendu la meute avide. Chacun bouge sur son matelas ou sur sa natte. Dans les logements des ouvriers un nourrisson pleure, une femme le met à son sein brun et ils se rendorment ensemble.

Souvent, par les nuits de pleine lune, la petite fille se met à la fenêtre. Elle ne voit ni les chiens ni les chacals mais elle les devine. Elle reconnaît les aboiements de Boy, de Stop, de Baïta, de Gribouille et même ceux de Damia qui est si vieille qu'elle se laisse dévorer vivante par les puces. La petite fille voit les faux poivriers devant la maison, ils laissent traîner leurs branches sur la terre battue. Elle voit les vignobles gros de leurs grappes qui se reposent dans la nuit avant de se livrer encore au soleil. Elle voit, jusqu'à l'infini, des vallonnements blancs de lune. Les chiens gardent, ils se battent. Tout est en ordre.

A l'aube, les hyènes avec leurs rires de femmes folles chercheront les cadavres des chacals déchirés. Les chiens les laisseront faire, car ils ne mangent ni de l'une ni de l'autre viande.

Les souvenirs sont du miel pour m'attraper, pas la mémoire. Les souvenirs sont à la mesure de ma vie, la mémoire, elle, me dépasse.

Souvent je confonds les deux.

Voyage au pays des racines. Il m'est déjà arrivé de décrire cet arbre du sertão brésilien qui, pour trouver de l'eau, s'enterre si bien que ce que l'on voit de lui à la surface, ce sont des touffes épaisses. Ces touffes sont les extrémités de ses branches car, en réalité, l'arbre colossal mesure plus de dix mètres de haut...

Moi je fais le contraire, je flotte, je ressemble à un âne de Chagall.

Aux jours s'accrochent les souvenirs, aux nuits la mémoire.

Nuits de tempêtes. Le vent, par rafales, projette la pluie contre les murs et les volets de la maison. Les éléments font un grand bruit qui emplit l'espace, unissant les gens à l'au-delà.

Mon lit est une barque à l'abri dans son port. Le port d'Alger est fermé la nuit. Les cargos ferrailleux doivent attendre l'aurore à l'entrée de la baie. Leurs proues rouillées s'enfoncent dans les lames et en ressortent ruisselantes. A bord, les hommes luttent pour que la carcasse engrossée de sa cargaison d'épices et de bois d'hickory ne se mette pas par le travers. Les bateaux font gémir leurs cornes de brume.

Les hautes vagues poussent à toute vitesse des tonnes d'eau qu'elles catapultent contre la côte rocheuse. Dix mètres plus haut, la route de la Corniche ressemble à un torrent déchaîné.

Les enfants anxieux ne peuvent pas dormir les nuits de tempête. Ils écoutent la paix de dedans et la guerre de dehors. Pourquoi le port est-il fermé la nuit?

Pourquoi la mort est-elle à la fois si grave et si peu grave? Pourquoi les rites spectaculairement tragiques des enterrements et l'indifférence à la mort elle-même, la résignation devant elle? Comment dormir tranquillement alors que des marins, à côté, risquent la noyade à chaque instant? Pourquoi le port est-il fermé la nuit?

Les sirènes sont lancinantes. Le vent déchire leurs plaintes et transporte ces lambeaux jusque dans la chambre de la petite fille attentive, assise dans son lit, grave. Qu'est-ce que c'est la mort? La mort, est-ce que c'est le cadavre rongé par les vers, ou bien est-ce que la mort ce sont les vers qui rongent le cadavre? Est-ce que la mort nourrit la vie ou bien le contraire? Y a-t-il un piège auquel je suis prise? Est-ce que la liberté est la limite de ma prison?

La nuit est lente à passer. Combien de temps faudra-t-il attendre le brinquebalage des premières charrettes de fruits et de légumes qui vont aux marchés? Dans combien de temps le premier tramway s'arrêtera-t-il à la station d'à côté? Le jour mettra longtemps à percer les nuages d'orage. Mais, avant même qu'il y parvienne, la noirceur grisaillera quand même. A un certain moment, alors que la nuit paraîtra être toujours la nuit, ce ne sera pourtant plus la nuit. La tempête ne sera plus la même, le vent, la mer et la pluie auront changé. Je le sais. Pourquoi ce changement et pourquoi est-ce que je le sens?

Odeur du café, bruit de pieds nus sur le carrelage des couloirs.

— Tu as bien dormi?

— J'ai bien dormi, merci.

Les enfants vieillissent vite dans la petite lumière de leur lampe de chevet.

Nuits de vacances, l'été. Il fait chaud, le drap est chaud, l'air est chaud, l'odeur des tamaris mêlée à celle des belles-de-nuit est chaude comme une aisselle moite. Jambes écartées, bras écartés à chercher la fraîcheur. La nuit caresse. Dans l'ombre lunaire la mer range, l'une après l'autre, doucement, ses petites vagues sur la plage avec un bruit de papier de soie. Elles sont si petites qu'elles ne font même pas d'écume. Le sable les boit immédiatement. Flux et reflux lentement cadencés.

Sous mes paumes et mes talons, sous mes reins et mon dos, le doux du drap mille fois lessivé. En cadence, comme la mer, à le caresser à peine. Et ma tête pareil, elle roule de droite à gauche, de gauche à droite, doucement. Je vais, je viens. Je vais, je viens. Je me berce, je me grise de cette bercerie. Je vais, je viens. Le corps, sans bouger, entre dans le rythme. De bas en haut, de haut en bas. Un peu d'air glisse sur ma croupe à chaque fois. C'est bon, c'est frais. Encore, encore et encore.

La lune tisse un voile blanc aux reflets d'argent. Un voile de noces. Sans se lasser. Paisiblement elle envoie la navette des vaguelettes d'un bord à l'autre des continents. Elle va, elle vient, sans jamais se tromper de chemin.

La nuit est plus grande maintenant, plus profonde, plus vivante, puisque l'odeur de la menthe monte jusqu'ici avec celle du romarin. Le soupir des vagues est plus bruyant.

Pendant les nuits bouillantes de l'été, le ventre

de la petite fille, attendant un peu d'air pour s'assoupir, est un bassin plein d'amour. Je sais que le rythme invariable qui fait se balancer la mer et mon corps est celui de l'amour. Je ne sais pas pourquoi je sais ça, mais je le sais. Et c'est peut-être parce que je suis incapable de nommer l'amour qu'il est si grand, si important, si grave. Rythme régulier, alternatif : l'autre-moi, moi-l'ailleurs, le différent-moi, moi-le-dehors. L'univers et moi, moi dedans lui, lui dedans moi. Parfaits.

Par là, par ce balancement chaud, perpétuer la vie. Inexplicable mémoire de la vie qui va d'un mouvement à l'autre pour se continuer, se continuer, se continuer, à jamais... Les astres se déplacent, le caillou a bougé parce que la nouvelle capucine qui veut voir le jour l'a poussé de sa crosse têtue, l'enfant dans un ventre esquisse son premier geste de dormeur.

Les étoiles et les lunes du moucharabieh de ma chambre sont le firmament d'une petite fille heureuse, impatiente d'aimer. Les hommes, aux aguets, attendent tout autour. Pourquoi les hommes?

— Tu as bien dormi cette nuit, ma chérie?

— Oui, maman.

Les parents oublient les sèves nocturnes de l'enfance.

Nuits de vendanges, courtes, lourdes. Les ouvriers harassés se sont endormis à même le sol de la cour, roulés dans leurs burnous. Ils sont venus de partout pour travailler ici, pour gagner quelques sous.

Ce sont les nuits de la plus grande chaleur. A croire qu'elles sont encore plus chaudes que les journées, à croire que le soleil en partant se coucher a libéré toute la chaleur amoncelée pendant le jour et qu'elle monte du sol comme un brasier. Personne ne dort, à part les vendangeurs épuisés. Les lits sont des fournaises, l'eau de la douche est une soupe, les éventails brassent une haleine de four. Dans les chambres la lumière reste allumée, un trait d'électricité souligne chaque porte fermée. Les vendanges agitent les esprits, les excitent, les angoissent. Elles sont le baromètre de notre richesse et de la misère des Arabes. Selon qu'elles seront bonnes ou mauvaises, selon que le vin sera plus ou moins fort, l'argent sera plus ou moins rare. Elles sont le fruit d'une année de travail des hommes et du caprice des saisons. Roulent dans les têtes le souvenir des labours et du sulfatage, mais aussi les gelées blanches de janvier, la grêle de février et les trombes d'eau de mars. Trop de pluie fait de grosses grappes et du petit vin...

Les saisons. Le travail. L'argent.

Il y a des cycles. Il y a des répétitions qui ne sont pas des bégaiements. Tout est toujours pareil et rien n'est jamais pareil. Les progressions se font dans ces recommencements. Progressions vers où? Pour quoi? Comment? Il n'y a aucune sécurité.

Le travail et l'argent confrontés au hasard.

Et le hasard c'est quoi?

La nuit est encore pleine mais les ouvriers se lèvent pourtant. On entend les fers des mulets heurter les cailloux de la cour et, près de la cave, le cahotement des pastières. La chaleur n'a pas cédé cette nuit. On se demande quel enfer ça va être quand le soleil se lèvera.

Les patrons et les patronnes sont éveillés eux aussi. Assis autour de la table ils prennent leur café sans dire un mot. Les femmes ont des peignoirs légers, les hommes sont en bras de chemise.

— Tu es déjà levée, Moussia!

— Je ne peux plus dormir.

— Pourtant la meilleure chose à faire quand il fait chaud comme ça, c'est de rester au lit.

Ainsi les enfants peuvent se livrer au hasard.

Pourquoi, alors, y a-t-il des petits vendangeurs qui n'ont même pas douze ans? Entassés dans les pastières avec leurs aînés, souvent leurs pères ou leurs oncles, ils s'enfoncent dans l'ombre. Ils somnolent. Quand le soleil se lèvera ils seront à pied d'œuvre. Loin, au-delà des collines.

Et moi qui ai leur âge, je peux rester au lit. Pourquoi?

20 mai.

Je pars dans trois jours. Je suis prise de nausées à l'idée de ce départ. J'ai mal aux dents. Il me semble que jamais je n'ai entrepris un voyage aussi périlleux et aussi lointain que celui-là. Tout me fait peur. Pourvu que je ne me rende pas malade au point de m'empêcher de partir. Si j'en arrive là, je me considérerai comme une lâche, je n'aurai plus le moindre respect pour moi.

Hier j'ai acheté *Femmes d'Alger dans leur appartement*, de Assia Djebar. Ce livre me fait battre le cœur. Elles sont si proches de moi, ces femmes, et si lointaines.

Les rues de Paris me sont devenues totalement étrangères depuis quelques jours. Je regarde les architectures et les gens comme une ethnologue. Curieuses coutumes. Curieuses mœurs. Curieuses nourritures. Curieuses végétations.

Je me souviens, dans mon enfance, quand nous venions en France, les marronniers m'impressionnaient plus que les châteaux et les musées. Je les trouvais raffinés, royaux, civilisés. Chez moi il y avait des platanes et des palmiers, majestueux, immenses, mais de leur écorce, de leur tronc surtout, émanaient la sauvagerie, la primitivité. Les marronniers, eux, étaient faits pour des princesses endiamantées jouant aux bergères, pour des courbettes, pour du langage châtié, pour du satin, pour border des allées à carrosses. La campagne française me stupéfiait, tellement elle était verte, tellement elle était faite de petits bouts. Tout cela me frappait et m'ennuyait finalement. Cette mère Patrie, quelle barbe, tout y était bien, même la mauvaise herbe! Il me tardait de rentrer chez moi.

Les gens n'existaient pas, je ne les rencontrais pas. Nous vivions à l'hôtel, nous rendions à notre famille métropolitaine des visites protocolaires.

Quand je suis venue m'installer en France j'ai rencontré des gens, certains sont devenus des amis, mais me manque toujours une clef, la clef de leur terre. Leurs références, parfois, à la Bretagne, à l'Auvergne, à l'Alsace ou au Limousin, ne suscitent rien en moi, ne me les font pas mieux comprendre et, à chaque fois, j'ai un recul : ce sont des étrangers...

Aujourd'hui je n'ose pas retourner chez moi, en Algérie, parce que c'est devenu l'étranger aussi. C'est l'étranger partout pour moi.

Hier j'ai signé un contrat avec ma fille, chez mon éditeur. Nous ferons un livre de ce voyage. Il me fallait un engagement, il me fallait une obligation, un devoir à rendre, un examen à passer. Je ne peux plus reculer.

Jamais je ne signe de contrat pour un manuscrit que je n'ai pas terminé...

L'amour, la mort, le travail, l'argent, le hasard. Tout ça en moi comme en tout être humain. Oui. Mais découverts, rencontrés, abordés, vécus, réfléchis en compagnie de certains champs de vigne, de certains chiens, de certaines plages, d'un certain moucharabieh, d'un certain port, de certains chants. Je prends conscience que ces racines essentielles des gens sont, en moi, tellement embrouillées aux scènes de mes commencements que la mort, l'amour, le travail, l'argent, le hasard sont, dans ma tête, algériens. Dans ma tête et dans mon corps aussi... La mort va avec les visages griffés des pleureuses, l'amour avec la sieste, le travail avec la chaleur, l'argent avec le maquillage, le hasard avec un cheval ailé.

Impossibilité de me débarrasser de ces encadrements. Je crois d'ailleurs que je n'ai pas le désir d'envoyer balader ces accessoires. Je ne parviens pas à les prendre pour des accessoires, je les trouve aussi essentiels que l'amour, la mort, etc. Cette habitude française de mettre les sensations d'un côté et la raison de l'autre, je ne l'aime pas, car, personnellement, je ne parviens pas à les dissocier.

Sur les hauteurs d'Alger ma mère avait créé pour la Croix-Rouge un centre d'accueil destiné à héberger les enfants des bas quartiers. Un bus les ramassait le matin et les raccompagnait le soir. Elle avait engagé, pour tenir les cuisines, un Kabyle qu'elle connaissait depuis toujours : Tounsi. Un homme soigneux, soigné, intègre, paisible et excellent cuisinier. Tounsi vouait, en outre, une véritable dévotion à ma mère, ne supportant pas qu'on la dérange ou qu'on la fatigue.

Quand ça a commencé à chauffer très fort à Alger, que les attentats et les plastiquages se sont multipliés, chaque déplacement devait être entrepris aux risques et périls de quiconque avait décidé de sortir. Or ma mère avait à traverser la ville chaque matin et chaque soir. Elle pouvait être une cible aussi bien pour l'OAS puisqu'elle protégeait des enfants de la Casbah insoumise, que pour le FLN puisqu'elle récupérait dans le giron français ces mêmes enfants... L'insécurité était totale et la méfiance complète. N'importe qui était un assassin possible. Nimporte qui, sauf Tounsi.

Un jour qu'ils commentaient tous les deux une tuerie qui venait de se produire non loin du centre d'accueil, Tounsi a dit :

— Si les fellaghas ils me donnent l'ordre de te couper le cou, madame Marcelle, tu as pas besoin de te faire du mauvais sang.

Ma mère en était certaine mais elle était tout de même contente de se l'entendre dire.

— Je le sais, Tounsi, j'ai confiance en toi.

— Tu peux avoir confiance, madame Marcelle, je te couperai le cou pendant la sieste et tu sentiras rien du tout.

Il n'y avait aucun cynisme dans les propos de Tounsi. Il était sûr de lui, tranquille, jamais il n'avait donné à ma mère une plus grande preuve de respect et d'affection.

Ma mère l'avait bien compris, elle était née là-bas elle aussi, et c'est en pleurant qu'elle racontait cette histoire. Elle ajoutait : « Si on nous laisse nos églises je ne bougerai pas d'ici, je n'irai pas vivre en France. »

Elle est quand même venue vivre en France où elle est morte peu de temps après, ayant complètement perdu l'esprit.

Double culture, double liberté pourrait-on croire, mais c'est le contraire. La liberté ne peut se vivre de deux manières différentes. Il faut une grande agilité pour savoir passer d'une liberté à une autre et peut-être même que cette agilité est, en fait, de la duplicité. La liberté est un oiseau de paradis mais c'est un oiseau domestique. Dès qu'il sort du clan qu'il enchante, il perd ses meilleures plumes; son croupion et ses ailerons à nu il est incapable de prendre son envol, il caquette et se démène au ras du sol, il n'est plus qu'un vulgaire poulet.

23 mai.

Je pars dans quelques heures.

Deux jours que je n'ai pas écrit.

Pourtant ce futur livre est devenu mon point d'amarrage, mon havre. Je me vidais de ma substance par tous les pores de ma peau, par toutes les vibrations de mon esprit. J'étais en grand danger de mourir. Retourner là-bas était une entreprise si insensée que je me fuyais moi-même, j'abandonnais ma carcasse qui commençait à souffrir de partout : vertiges, maux de dents, de tête, d'intestins, insomnies. Extrême fatigue. Idées de cancers. Visions d'hôpitaux. Je lâche la barre.

Et puis le contrat signé, le livre à rendre. J'ai déclaré : « C'est un livre que je dois faire à chaud ou pas du tout. Je vous rendrai le manuscrit vers la fin juin. » ... Voilà, c'est tout. Depuis je suis occupée par des histoires de machine à écrire, de papier carbone, de délais de livraison. Mon problème est devenu : comment organiser mes journées là-bas pour taper ce que j'ai déjà écrit et prendre des notes sur ce que je verrai? Un boulot comme un autre, quoi. Je me suis blindée, j'ai organisé la défense. Je me dis : « Tout à l'heure je pars pour Alger », comme si ça voulait dire : « Tout à l'heure je pars pour le Midi »! Le tour est joué.

On verra...

Ce matin, à l'aube de mon départ, alors que j'entends la gardienne de l'immeuble sortir les poubelles, dans le petit jour, je pense à la fois aux veillées d'armes des chevaliers et aux cigognes. Drôles d'idées.

Pourquoi les chevaliers?

Les livres de classe de mon enfance étaient français, faits pour de petits Français vivant en France. Des saisons inconnues les rythmaient de feuilles de houx, de brins de muguet, de chaumières enneigées, d'écoliers en sabots... Visions incompréhensibles. Tout m'était incompréhensible dans ces bouquins, sauf les croisades où les Français rencontraient les Arabes. Quoique ces derniers, sur les illustrations, eussent l'air de grands mamamouchis, mais après tout pourquoi pas puisque les Français, eux, dans leurs armures, avaient l'air d'obus articulés.

La chevalerie me plaisait et le mot « adouber » est entré facilement dans ma tête, en même temps que les mots discipline, carnet de notes, cartable, etc. Les chevaliers devaient passer toute une nuit sans dormir, à prier, avant d'être adoubés. Ensuite, splendides et métalliques, ils partiraient défendre le Christ, les femmes, les enfants et les vieillards; dans l'ordre.

Je m'imaginais en haut d'une tour, coiffée d'un hennin pointu, toutes voiles au vent, disant adieu à un beau jeune homme luisant comme une boîte de sardines, chevauchant un palefroi et brandissant un gonfanon. Tout ça pour moi, pour me protéger des infidèles.

A en juger par ma situation, huit siècles plus tard, la réussite avait été complète, les Arabes étaient vaincus, c'était une évidence.

Tout le reste de cette Histoire était beaucoup trop subtil pour moi. J'avoue que les combats au sujet du Piémont, des Flandres ou de l'Alsace-Lorraine me laissaient de marbre. C'était où tout ça? En tout cas, ni du côté d'Oran ni du côté de Constantine.

Cette nuit, je n'ai pas pu dormir une minute et tout à l'heure je pars en croisade...

Et les cigognes?

Des cigognes il y en avait beaucoup en Algérie.

Mais elles n'étaient là que de passage, leur vrai pays c'était, paraît-il, l'Alsace. Elles sont alsaciennes, comme l'ours est soviétique, l'orignal canadien et le tigre bengali. Les cigognes portent bonheur et elles convoient les bébés. D'où mon idée que les bébés étaient toujours un tantinet alsaciens. C'était logique. Mais les bébés arabes? Peut-être les pêchaient-elles quelque part en route, je ne savais pas où. Allez-vous-en savoir. Je n'ai jamais éclairci ce problème.

Chez nous, à la ferme, les cigognes avaient installé un nid énorme sur la cheminée du salon. Oh bonheur! Un vrai bienfait pour la famille, une protection du ciel! A n'en pas douter un bon génie les avait guidées jusque-là. Tant pis si ce bon génie faisait que nous étions constamment enfumés! Tant pis. Et en avant l'Alsace et la Lorraine, avec chansons à l'appui : « Vous n'aurez pas l'Alsace et la Lorraine... », et Jeanne d'Arc, la pucelle : « En passant par la Lorraine avec mes sabots... » Et les casques à pointe. Et le fiancé de ma mère qui avait été tué à la guerre de 14. Ah! si elle avait épousé celui-là au lieu d'épouser mon père... Et les boches... Et...

En attendant les cigognes avaient fait un nid énorme qui débordait de partout, comme si la cheminée avait eu un chapeau de paille. Et elles claquaient du bec comme des folles, de quoi réveiller les morts. A la fin de l'hiver, elles repartaient vers l'Alsace avec un, quelquefois deux petits bien vigoureux, nourris de nos grenouilles vertes et de nos couleuvres bleues. Elles ne pouvaient pas rester chez nous, il fallait qu'elles rentrent en France, elles auraient eu trop chaud, les pôvres chéries...

Les éboueurs sont en train de ramasser les ordures. Je les regarde faire. Ils sont tous africains. Je me demande si demain ce seront des Français qui ramasseront les ordures à Alger. Je vérifierai.

Pourquoi ces plaisanteries fines? Est-ce que j'ai peur?

Timgad, ville romaine. Grande ville encore aisément lisible. Avec ses avenues où les charrois ont creusé des ornières dans la pierre du pavement, avec ses ruelles, ses places, ses carrefours. Avec ses maisons qui n'ont plus de toits, presque plus de murs, mais dont les plans sont clairs; on peut toujours facilement circuler de pièce en pièce. Avec ses arcs de triomphe, ses temples.

Première escapade d'adolescente. Au prix de quels mensonges, de quelles hardiesses? Je ne sais plus.

Deux tentes dressées dans les ruines vides qui n'étaient pas gardées. Une tente pour les filles, une tente pour les garçons...

Impossibilité de dormir tant la curiosité est grande. Curiosité de tout. Les autres dorment. Ils ont dû moins mentir que moi, pour être là. Ou peut-être sont-ils plus savants?

C'est presque le jour, pas tout à fait. La nuit rosit à l'est. Sous mes pieds nus les vieilles pierres sont douces et fraîches. Elles sont si bien ajustées les unes aux autres que, malgré les siècles, malgré les grands vents qui sèment les graines, la mauvaise herbe a du mal à pousser entre elles. Tout autour de moi, partout, il n'y a que des constructions détruites. Combien de milliers d'habitants vivaient ici? La ville est grande. Combien de Romains? Pas seulement des soldats, mais aussi des citoyens sûrement, des hommes, des femmes, avec leurs enfants. Des paysans, des boutiquiers. Une ville comme une autre faite pour que des gens y vivent.

Je m'aventure.

Impression de déranger un monde, d'être indiscrète. Tout dort encore. Est-ce que je dérange des habitants?

Les colonnades paraissent extrêmement hautes et longues à force de ne plus rien supporter. Elles se dressent. Elles témoignent depuis longtemps qu'un peuple conquérant a vécu là. Et qu'il est mort. Elles ont pris sa place et elles vivent immobiles, rigides et belles.

Le jour vient et je déambule. Rôdeuse. Fraudeuse. Étrangère. Solitaire.

Soudain, à côté de moi, un vacarme; une protestation sèchement répétée, un avertissement agressif. Halte-là! Un martèlement de bois dur, un hachage de pierres, un fracassage de fer.

Mon cœur bat. J'ai dérangé les esprits des centurions, j'ai réveillé la garde endormie depuis des siècles, leurs lances s'entrechoquent, leurs épées se cognent. Je suis loin des autres.

J'ai donné l'alerte sans le faire exprès. La ville est réveillée, elle se met sur le pied de guerre, elle organise sa défense. De partout éclatent des crécelles affolantes.

Ce sont des cigognes qui saluent le soleil, elles nichent à Timgad par milliers. Gardiennes des conquêtes anciennes, messagères des guerres. Elles en ont tant vu. Leurs longs becs claquetants battent le rappel des troupes de fantômes en marche, frappent les tambours des chevaliers en branle-bas. Croisés, Germains, Arabes, Romains, Francs. Tous à la curée des terres à prendre, à fouailler, de trésors à voler.

Les cigognes vont et viennent. Elles traversent la Méditerranée.

23 mai. Orly.

Un ami est venu m'accompagner et je n'arrive pas à le lâcher. J'ai une trouille épouvantable. Je ne parviens pas à m'engager dans la file du contrôle de police. On dirait que je pars à l'abattoir. C'est ridicule. Des larmes sont montées, gênantes, mais elles dégagent un peu ma poitrine et mon ventre. J'ai l'impression d'être bloquée, de ne plus pouvoir respirer. Beaucoup d'Algériens font la queue avec moi puis s'entassent avec moi dans la salle d'attente. Certains parlent avec l'accent kabyle, je m'étonne de le reconnaître au milieu de mon désarroi.

Je ne me suis pas trompée, l'homme qui vient s'asseoir à côté de moi dans l'avion est un

Kabyle. Il me l'apprend en cours de vol. Il est extrêmement courtois et serviable. Immédiatement me viennent un tas de réminiscences du comportement de l'homme d'Algérie et je pense que je ne suis plus jeune. Mais c'est plutôt agréable d'avoir de l'âge pour une femme, avec ces hommes-là. Nous bavardons, j'essaie de parler des événements de Kabylie mais il devient laconique, il n'a pas envie de parler de ça, il ne veut pas avoir d'emmerdements. Du doigt je lui montre la lune dans le ciel plein de soleil. Il la regarde et me dit :

— Y'a cinq jours qu'il a sorti cuilà.

Voilà, bon. Je n'ai rien à ajouter. Il y a combien d'années que je ne me suis pas occupée de la lune, moi?

Les Baléares. La Méditerranée est magnifique. Bleue, d'un bleu qui n'appartient qu'à elle. Elle me fait envie.

Peu de temps après, une côte, la côte, ma côte. Je me demande par quel bout on va la prendre. Fort-de-l'Eau? Sidi-Ferruch? C'est Fort-de-l'Eau. Alger est de l'autre côté de l'avion, je ne peux pas la voir. Je me dévisse le cou mais je ne vois rien. L'avion descend. Il vire pour prendre son atterrissage, il descend encore.

Maintenant je vois ALGER.

Les falaises d'El-Biar sont plus hautes quc dans mon souvenir. Je trouve tout plus beau mais je m'empêche de le penser. Les larmes montent et elles débordent. Je me colle au hublot. Je m'en fous de pleurer, j'en ai bien le droit, non? Qu'est-ce qu'il y a de mal à ça? Le tout est de ne pas déranger les autres, de ne pas faire d'exhibitionnisme. Je trouve que tout est vert, tout est beau. Nous survolons une ferme avec une allée de palmiers et des cultures bordées d'eucalyptus. L'avion roule sur le sol maintenant. Dans les champs, entre les pistes du terrain d'atterrissage, des fleurs sauvages roses se mêlent aux herbes, des liserons je crois, je n'ai pas eu le temps de bien voir. J'y suis.

23 mai. Alger.

Je suis dans un état d'excitation intense. Je subis un véritable bombardement de lumières, d'odeurs, de couleurs, de gestes, de bruits. Je voudrais tout voir et je ne vois rien. Ma tête est comme un grelot agité.

Je ne sais pas comment je me débrouille mais

je suis la première à sortir des différents contrôles. Il me tarde de voir, de tout voir.

M. M. et son fils sont venus me chercher. Ils ont été prévenus de mon arrivée par Thérèse. Ils sont gentils et discrets. Ils savent qu'il y a longtemps que je ne suis pas venue ici.

Nous allons vers Alger. La route moutonnière. Le caroubier. Ça s'est beaucoup construit par là. Je cherche le mur interminable sur lequel était inscrit en lettres de trois mètres de hauteur : « Usine CARDINAL. » Il n'y est plus, M. M. me dit : « C'est là, c'était là, juste après le jardin d'essai. » Je m'en fiche.

Je ne veux plus me laisser captiver par aucun détail parce que maintenant il y a Alger devant moi.

Quelle joie de te revoir, quelle joie profonde! Bonjour ma mère, ma sœur, mon amie. Tu es encore plus belle qu'avant. J'ai déjà écrit qu'Alger se dressait comme un tribunal devant ceux qui y pénétraient, c'est vrai. Alger est haute, debout, verticale. Les longs immeubles récents renforcent cette impression.

Je dis que ça n'a pas changé et mes hôtes ont l'air de trouver que j'exagère, que ça s'est beaucoup modernisé, beaucoup construit. Oui, c'est vrai. Mais c'est pareil quand même. Laissez-moi là, je sais où je suis et vous verrez quc je retrouverai tous les chemins. Je ne peux pas me perdre ici.

Avant de me conduire à l'hôtel M. M. tient à m'emmener chez lui, à El-Biar où je rencontrerai sa femme et ses enfants. Il a six fils et une fille et une belle-fille.

Jasmins. Bougainvillées. Petit bout de jardin devant la maison. Petit bout de jardin derrière la maison. Pleins de fleurs, des lys, des roses, de la verveine et aussi du persil arabe et des céleris. Mme M. a des tatouages sur le cou et ses yeux sont dessinés au khôl. Elle est très belle et très discrète.

Calme. Du thé, un gâteau gonflé et doré préparé par la jeune bru qui fait du zèle pour plaire à ses beaux-parents, à son mari, à moi. Je donne les cadeaux que Thérèse m'avait confiés pour eux : des fromages et des chocolats. Au centre de la table un vase avec des lys raides et un glaïeul piqué au milieu. Dans cette maison française, ils ont reconstitué une atmosphère arabe. Les tapis ne sont pas par terre, ils sont aux murs, les meubles européens sont comme plantés et inutilisés, c'est vaste, c'est vide, c'est frais. Trop de choses viennent à la fois. Elles ne me surprennent pas. En quelques instants elles me font redevenir une fille d'ici et je me demande comment j'ai pu être autrement.

La famille se relaie, ils sont toujours deux ou trois à parler avec moi. Mme M. ne sait pas le français et, par-dessus le marché, elle est kabyle, elle aussi décidément. J'essaie de me lancer dans la conversation mais les mots viennent mal. Nous rions. Elle me prend la main pour me faire comprendre que ce n'est pas la peine de parler, pas la peine de me donner du mal. LA PAIX. Je suis bien.

J'avoue avoir pensé, quand je suis entrée dans ce quartier de villas : « Qui habitait par là avant? Sûrement pas des Arabes. » Mais cette question est vite sortie de ma tête. Ça ne m'intéresse pas. De même, je n'éprouve absolument plus la curiosité de savoir qui habite chez moi. Cela m'est totalement égal.

Une chose se sent : ils sont chez eux, ils sont bien chez eux et ils sont heureux d'être chez eux. J'en éprouve un contentement, un soulagement, quelque chose qui commence à monter en moi et qui ressemble à de l'euphorie.

Pas le temps d'analyser ce que c'est que ce soulagement et cette euphorie.

En même temps une chose est certaine; je suis chez moi, je suis rentrée chez moi et j'y suis bien.

Tout me convient ici, je comprends tout.

L'hôtel Aurassi est un énorme hôtel pour touristes fortunés capables de payer 360 francs la chambre, petit déjeuner non compris... Comment se fait-il que, parmi l'accumulation des stéréotypes du tourisme de luxe, il y ait, pour une fois, là, quelque chose qui me soit familier?

De quel ordre est la connaissance acquise dans l'enfance? Un enfant connaît sûrement l'essentiel et comprend l'essentiel. Que je reconnaisse des lieux et des gens, c'est normal; je vois les différences, les nouveautés. Mais ce qui m'étonne c'est le bien-être que j'éprouve, la facilité avec laquelle j'évolue, le confort intellectuel dans lequel je me trouve. Ça me rend heureuse, gaie. Et je ris avec les gens de la réception, avec le garçon qui m'aide à porter ma valise. Il en profite d'ailleurs pour me demander de changer mes pièces françaises contre des dinars. Ce que je fais volontiers. Je me fous du change comme de ma première chaussette, j'ai autre chose à faire. Je sais que je me fais rouler mais qu'est-ce que ça peut faire? Ça fait partie du jeu et je le lui dis, je lui dis que je suis tellement contente qu'il peut me truander tant qu'il veut. Il rit lui aussi. Des mots reviennent comme des fêtes. Il me confie que je ne dois pas raconter qu'il a changé de l'argent « sinon ça va fire un chiclala tirrible ». OK! Son « chiclala » vaut bien tous les mauvais changes du monde!

Ma chambre est grande, prolongée par une terrasse qui donne sur Alger. Tout Alger. Le port. La baie.

Tendresse. Douceur. Ma belle. Ma belle.

Très vite c'est le soir. Ma belle endiamantée de ses lumières, emperlousée, coquette, sinueuse. A tes pieds, dans la rade, vingt-neuf bateaux illuminés, amants entêtés, attendent d'entrer dans le port. Le port est fermé la nuit, vous attendrez jusqu'à demain matin.

A un garçon du restaurant je demande :

— Pourquoi y a-t-il autant de bateaux dehors?

Il me répond :

— Les dockers c'est tous des feignants.

24 mai.

La journée d'hier se terminait par un match de football très important : Tizi-Ouzou-Sétif. Autrement dit les Arabes contre les Kabyles. Déjà dans l'avion, puis plusieurs fois au cours de l'après-midi, j'ai essayé d'aborder le problème de la Kabylie. Mais à chaque fois, dans la politesse du ton et des mots, j'ai très bien compris que ce n'était pas un sujet abordable. Un homme m'a dit rapidement qu'il désapprouvait les Kabyles, que leur langue ne pouvait pas s'enseigner puisqu'elle ne s'écrivait pas. Sujet tabou.

Mais le football était un prétexte permettant aux gens de se défouler. Et dès la fin de l'après-midi des groupes d'hommes scandaient dans les rues les noms des clubs adverses.

...

Souvenirs d'émeutes ici... La foule criait... Les voitures brûlaient le long des trottoirs, les bombes lacrymogènes faisaient pleurer... Il y avait du sang...

...

Le soir, pendant le dîner, les garçons ne savaient plus ce qu'ils faisaient; ils étaient tous à la cuisine à regarder la retransmission du match à la télévision. Finalement Tizi-Ouzou a perdu ou Sétif a gagné, c'est selon les affinités des uns et des autres... Et quand je suis allée me coucher, ça a continué à hurler longtemps dans la ville.

Ce matin le soleil m'a réveillée vers six heures et je n'ai pas pu m'empêcher de courir au balcon.

Oui, je suis à Alger. Et je n'ai pas besoin de montre pour me dire quelle heure il est. Je le sais, à seulement regarder et sentir. La couleur de l'eau dans le port. La lumière sur le Djurdjura. La brume qui annonce la journée chaude. L'air. L'odeur d'Alger n'a pas changé.

Une différence soudain, une grande différence, une différence colossale, quelque chose qui change la ville plus que les immeubles nouveaux, les rues élargies, la population qui a presque décuplé, les drapeaux vert et blanc à la place des drapeaux bleu blanc rouge. J'entends un bruit que je n'avais jamais entendu ici : le muezzin a chanté!

Déjà hier soir il m'avait semblé... Mais j'ai pensé que c'était peut-être une prière en l'honneur du match. Ce matin, il n'y a aucun doute, les cloches sont parties, le muezzin les a remplacées. D'ailleurs, en regardant bien je vois qu'un peu partout des minarets ont poussé. Alger est plus orientale. Ça lui va bien.

J'achète *El Moudjahid* et je le lis en entier, tout, y compris les petites annonces et la publicité (rarissime). Ce journal me fait penser à *l'Humanité* ou plutôt à ce que serait *l'Humanité* si le PCF était au pouvoir. Mélange un peu agaçant du jargon technico-politique affectionné par le parti communiste, dans le genre « Pour une nouvelle mobilisation de potentialités », et d'un langage simple. Beaucoup de titres commencent par « Pour » ou par « Contre ». C'est un journal de lutte, le journal d'un pouvoir en train de construire un pays et de forger un peuple. Beaucoup d'articles militants et éducatifs.

Un article m'arrête parce qu'il est écrit par une femme et parce qu'il attaque violemment la colonisation française. C'est parce que les femmes algériennes ont été colonisées qu'elles ont du mal à monter à la surface :

Avant 1954 il n'y avait pas de femmes spécialistes algériennes. Cela s'explique par le fait que peu de filles allaient à l'école, que peu de jeunes filles parvenaient à l'université et qu'un petit nombre de femmes travaillaient. Cette situation était voulue et entretenue par l'oppresseur... Je faisais partie de cette jeunesse qui parlait la langue de l'oppresseur et qui récitait par cœur le trop classique « nos ancêtres les Gaulois »... Toute la journée nous appartenions aux étran-

gers; après l'école, dans nos foyers, nous redevenions des Algériens...

Après 1962, devant les tâches nouvelles qui nous attendaient, la page du passé fut « presque » définitivement tournée. Bien entendu, rares furent les femmes qui occupèrent des postes de responsabilité, car elles n'avaient eu aucune possibilité de recevoir les formations nécessaires.

Depuis 1970 les femmes participent sans complexe à l'édification du pays et je fais partie de cette nouvelle génération de femmes.

L'auteur de cet article intitulé « Devant le péril bactérien, l'inégalité des sexes n'existe pas » est donc une femme, et un médecin bactériologiste.

Quelle chance de pouvoir encore croire que l'oppresseur c'est l'étranger et qu'il suffit de le chasser pour que ça aille mieux du côté des femmes!

Ça m'a laissée rêveuse. Voilà bientôt dix-huit ans que les oppresseurs sont partis et cette brave dame va bientôt se rendre compte de ce que c'est que la condition féminine.

Je me suis baladée longtemps. J'ai voulu descendre des Tagarins à la Grande Poste en prenant un chemin de traverse qui rejoignait l'extrémité de l'ancienne rue de Mulhouse, mais je me suis heurtée à des clôtures et j'ai dû rebrousser chemin. Tout ce que je vois me fait plaisir; des fleurs des champs, de la mauvaise herbe, un petit lézard dégourdi, tout un tas de complices. De partout j'aperçois la mer, énervée comme elle l'est aux alentours de midi, fraîche probablement, à voir sa couleur. Une envie formidable de plonger dedans.

Je trouve enfin une belle avenue neuve qui mène au Gouvernement général. Murs de bougainvillées rouge, ocre et violine. Un bois d'eucalyptus. C'est là, exactement là, qu'un garçon m'a emmenée un soir très chaud et m'a embrassée. Toute la ville scintillait. Il avait bien choisi, l'endroit est splendide.

Plus bas, il commence à y avoir plus de monde. Je rencontre pas mal de femmes voilées, des vieilles surtout mais aussi des jeunes.

Les spahis du monument aux morts ont disparu. Jeanne d'Arc et sa monture aussi, à côté de la Grande Poste. Ça fait trois chevaux à s'être envolés. Quand je pense à tous les cavaliers des places d'Alger, généraux, ducs et consorts, qui ont dû prendre le même chemin, j'imagine que le paradis des statues doit être devenu un véritable haras. Et le sergent Blandan? Ce brave inconnu pointait obliquement un doigt vers une direction héroïque — je ne sais pas laquelle — et, les jours de pluie, vu sous un certain angle, on aurait pu croire qu'il faisait pipi. Il a dû s'envoler lui aussi. En tout cas, il aura fait la joie de bien des générations d'enfants mal élevés, comme moi.

Le centre d'Alger n'a absolument pas changé. Les souvenirs affluent à une vitesse vertigineuse. Ma mémoire s'ouvre comme une grenade mûre et pleine. Mais tout cela ne me bouleverse pas. Ce sont des souvenirs, et, curieusement, ils me mettent en gaieté.

La rue Michelet! Comme elle est étroite! Il y a foule. Il y a toujours eu de la foule là, mais maintenant elle est encore plus dense et elle est presque uniquement composée d'Algériens. Avant c'était le contraire. Aux terrasses des cafés je ne vois pas une seule femme. Zut, je me serais bien arrêtée boire une limonade et regarder passer les gens.

Les hommes parlent entre eux et dévisagent les passantes. J'en entends un qui déclare sur mes talons, après m'avoir bien détaillée, que je suis une *djousa*, une vieille. Il n'a pas tort. Il me faut peu de temps pour retrouver le réflexe de baisser les yeux, de regarder par en dessous et de prendre un air absent. Je me mets dans le sillage de deux filles. Elles bavardent librement, un peu trop fort peut-être, elles narguent, elles se moquent apparemment des réflexions des hommes, mais elles sont aux aguets.

J'espère que la dame bactériologiste aura moins d'ennuis avec les bactéries qu'avec les hommes, qu'ils soient ou non colonisés, sinon ce serait mauvais pour son avancement...

Je me demande comment ça va se passer quand je serai avec ma fille qui est jeune et jolie. Ça va être du sport. Il faut absolument que je trouve une voiture à louer. Une femme seule ne peut pas vivre à Alger. Elle est traquée.

J'approche de l'immeuble de mon père, celui où je suis née et où j'ai passé les dernières années de ma vie en Algérie. C'est aussi là que les aînés de mes enfants ont vécu leurs premières semaines. C'est un bel immeuble, les balcons sont beaux. Les volets de ma chambre sont entrouverts et du linge sèche devant. Les autres sont fermés à cause de la chaleur si bien que je ne peux pas voir si les vitraux de la salle à manger existent toujours. Devant la porte d'entrée quatre hommes parlent. Je ne peux donc pas m'arrêter. Ils m'assailleraient de questions douteuses, feraient des réflexions plus ou moins grivoises, essaieraient de me toucher peut-être. Tant pis.

D'ailleurs je n'en ai pas envie. Pas envie d'entrer. Je n'ai aucune curiosité. Tout ça est fini depuis si longtemps! Mon indifférence me surprend un peu, je me force : « Traverse et regarde d'en face », ce que je fais. Il y a un marchand de fleurs installé à la place de la marchande de journaux qui vendait, je m'en souviens, *la Gazette de Lausanne...*

Oui, bon, eh bien voilà, j'ai habité là. Là-dedans mes parents se sont étripés. Oui, c'est vrai. Eh bien, ils ne s'étriperont plus, ils sont morts et quant à moi je n'habite plus là et je n'ai aucune envie d'y habiter.

Les ficus qui percent les trottoirs m'émeuvent davantage. Ceux qui sont en face de l'entrée principale des facultés sont en train de mourir. Pourquoi m'attendrissent-ils?

Je pense que c'est en allant et en revenant de l'école que j'étais le plus moi-même. Chez moi, j'étais aux prises avec ma famille qui était assez dramatique et pesante, et, en classe, j'étais aux prises avec les bonnes sœurs qui étaient... ce qu'elles sont toujours... Les ficus scandaient la route de mes gamberges et de ma liberté, je les connais bien, à eux s'accrochaient mes rêves.

J'ai acheté six gâteaux arabes et je les ai mangés. Les macroutes surtout étaient bonnes, bien cuites comme je les aime. A Paris elles n'ont jamais exactement ce goût-là. Si je m'écoutais j'en mangerais douze.

On ne peut pas entrer à l'université, il y a un double barrage à passer, je remarque qu'il y a partout beaucoup de grilles verrouillées, de portes cadenassées, de garde-fous, de rideaux de fer. Les gens sont disciplinés, ils ont envie d'avoir un pays en ordre, un pays sérieux... Je ne sais pas. Tous ceux que j'ai rencontrés jusqu'à maintenant, que ce soit à l'hôtel ou dans la rue, et avec lesquels j'ai pu parler, le marchand de gâteaux, un agent de police, sont avenants et gais.

Deux mendiants sur les marches du passage souterrain au carrefour du boulevard Saint-Saëns. Ça m'a choquée. Je croyais qu'il n'y en avait plus. Deux, c'est peu à côté de la cohorte qu'il y avait avant.

Trop d'informations viennent en même temps, je ne sais plus que penser. Je suis un peu désorientée car je suis bien obligée d'admettre une évidence : aujourd'hui m'intéresse plus qu'hier. Et pourtant hier... J'ai même reconnu certaines dalles des trottoirs.

On m'avait souvent dit qu'Alger était sale. Je

la trouve beaucoup moins sale qu'au temps des Français.

25 mai.

Ce matin, je me réveille maussade comme le temps qui est gris et brumeux. Ce n'est pas de chance pour ma fille qui arrive cet après-midi, elle qui n'a jamais vu l'Algérie!

Je me sens désemparée. Je ne suis pas encore parvenue à louer une voiture. Toutes celles d'Altour — l'agence officielle de voyages de l'Algérie — ont été réquisitionnées pour je ne sais quel congrès. Les bureaucrates jouissent de privilèges formidables dans ce pays. On dirait que tout est fait pour eux.

Me voilà de mauvaise humeur. Cet hôtel trop luxueux et le manque de moyens de transport m'aliènent. Par-dessus le marché les taxis viennent d'augmenter de trois cents pour cent. Trois cents pour cent! Comme les compteurs n'ont pas encore été ajustés, les chauffeurs font payer la course n'importe quel prix.

Je n'aurais jamais pensé être paralysée à ce point. J'aimerais tout de même pouvoir aller sur une plage, me baigner. Avoir la mer toute la journée sous le nez et ne même pas pouvoir l'approcher, c'est un peu fort! On ne peut plus aller sur la grande jetée du port, le passage de l'Amirauté est fermé et gardé.

Au milieu de tout ça, je décide d'aller au cimetière. Je ne sais pas ce qui me prend. Quand je prévoyais ce voyage, je me moquais de moi-même en disant : « Je suis peut-être même capable de me retrouver au cimetière. » Eh bien, justement, j'y vais.

J'y suis. C'est ouvert. Personne ne me demande rien. Aucun contrôle.

L'émotion me prend tout de suite. Ordinairement les cimetières ne me touchent pas, au contraire, ils m'agacent, parce qu'ils prennent trop de place et je n'y vais jamais.

Cette émotion ne vient pas de la mort, elle est trouble et nourrit une drôle de boule en moi, mêlant l'ancien et le nouveau.

J'avance, je m'y retrouve facilement. C'est simple. Pourtant je n'ai pas pris ce chemin depuis la mort de mon père, en 1946. Ça fait longtemps. Il n'y a personne, absolument personne, seulement des oiseaux et des insectes. Je grimpe, cela me paraît aisé. De quels fardeaux étais-je chargée, enfant, pour que je garde de mes visites ici un souvenir harassant? Ce n'est pas loin, ce n'est pas dur. Le temps couvert et un peu frais rend même la promenade agréable, reposante.

Depuis que j'ai décidé de revenir à Alger, beaucoup de personnes m'ont dit : « Tu verras, tu vas être déçue, c'est tout petit. » Or je n'ai pas trouvé Alger petite, je l'ai même trouvée plus grande que dans mes souvenirs. C'est le cimetière que je trouve petit. Dans ma tête il était immense, un dédale d'allées, un interminable éparpillement de caveaux sur un terrain escarpé.

Je me laisse guider par la petite fille qui venait ici, le cœur gros. C'est son cœur qui alourdissait sa marche, c'est lui qui rendait cette montée interminable. Aujourd'hui mon cœur n'est pas gros et j'ai pris l'enfant dans mes bras. Elle m'indique le chemin : « Tourne là, prends cette allée, monte jusqu'à cette chapelle, il y a un raccourci par là. »

C'est vite fait, la tombe est là devant moi. Je n'en reviens pas. Dans la mousse qui a envahi la dalle, je lis clairement : CARDIN...

Je m'assieds, le cœur cognant. Pourquoi cogne-t-il comme si je venais à un rendez-vous d'amoureuse? Est-ce que c'est ça mon voyage en

Algérie : rendre visite à mon père? Je ne sais pas. Je suis bien.

Quel repos, quelle paix! Je ferme les yeux. Le silence.

Ma mère m'emmenait ici sur la tombe de ma sœur. Elle ne s'était jamais consolée d'avoir perdu cette enfant et quand elle venait au cimetière c'était avec de l'émoi dans tout son être. Malgré son extrême retenue, je la sentais agitée des pieds à la tête. Je sentais que je la perdais, que son attention m'échappait, que j'étais incapable de remplacer l'autre, que mon amour ne lui convenait pas, que j'étais inférieure à l'autre. J'étais écrasée. Mon désir de l'aimer s'effilochait, sortait de moi et se perdait dans le néant de son indifférence. J'étais une source de vide. Incapable même de détester ma sœur que je n'avais jamais vue. Annulée.

Comme tout cela est loin! Ma mère et moi nous avons réglé nos comptes depuis longtemps. Elle est morte elle aussi, comme sa fille, enterrée dans un cimetière d'Ile-de-France, à l'étranger. Notre combat à toutes les deux est terminé. Je ne porte plus d'autre cicatrice d'elle que mon nombril. Ronde et creuse blessure de la mère, ouverte et fermée à l'heure même de la naissance, pour toujours, pour jamais.

Aujourd'hui je suis assise sur la tombe de mon père et cela n'a aucun sens. Cela signifie simplement que je suis là. Les raisons pour lesquelles je suis venue je ne les connais pas vraiment et je ne suis pas inquiète de les connaître. J'en imagine certaines, j'en suppose d'autres et j'admets qu'il y en a encore d'autres que je ne sais pas et ne saurai jamais. Cela ne me dérange pas. Y'en a marre des « raisons », elles tuent, elles étouffent, elles ferment. Les savoirs ne sont intéressants que parce qu'ils sont incomplets, en constant devenir. Ce n'est pas que je renâcle devant la difficulté mais je pense que jamais aucun humain n'analysera ça : le génie et la richesse du Rien, et c'est tant mieux.

Ma présence ici n'a aucun sens et pourtant, nulle part ailleurs dans le monde, elle n'a autant de sens. Je suis exactement comme ce palmier sur ma droite : fort, trapu, feuillu, écailleux. Il est bien là où il est, je ne l'imaginerai pas ailleurs.

Tout, autour de moi, est parfaitement à sa place : les cyprès, les lauriers-roses, les volubilis, les mauves, les marguerites.

Les plantes ont tout envahi, elles sont plus

hautes que les tombes, elles ne les masquent pas, elles les enjolivent, elles les transforment en niches, en reposoirs, en barques. Des liserons grimpent après les croix de pierre ou de fer forgé et forment des processions aériennes de coupelles roses ou blanches. Les végétations flottent. Les hautes herbes échevelées mêlent leurs tignasses vertes, formant une nuée légère de lignes souples et fines, au-dessus des sépultures.

Depuis mon arrivée à Alger me manquaient les jardins. Je pensais que je ne les retrouverais pas car les jardins de mon enfance me sont fermés et beaucoup ont disparu pour laisser pousser des immeubles. Mais voilà que le cimetière de Saint-Eugène s'est transformé en jardin avec des fourmis, des lézards et je soupçonne même un chat de fureter dans le bosquet de lauriers-roses, sur ma gauche.

Les os de mon père sont sagement allongés dans mes jardins.

La petite fille y cherchait des trésors, elle creusait le sol jusqu'à se faire mal aux ongles, elle déchiquetait les fleurs creuses pour aller jusqu'à leur cœur. Elle croyait découvrir de l'or et des diamants. La beauté de cette nature la touchait si fort, elle était si grande, qu'elle la prenait pour une châsse, un lieu où les adultes cachaient leur fortune, un tabernacle, un ostensoir. Il ne pouvait y avoir autant de magnificence que pour signaler la présence de ce qu'il y avait de plus précieux — ce qu'on avait désigné à la petite fille comme étant le plus précieux —, des bijoux et des dentelles, de l'ivoire et de l'argent, de la porcelaine et de la nacre... Elle avait appris à penser comme ça : qu'est-ce que le paradis sans Dieu? Rien. Elle était dans le paradis, il fallait donc qu'elle y rencontre Dieu.

Maintenant, je sais que ces jardins sont à la fois le paradis et Dieu et que ma jouissance à y être ne doit pas se laisser troubler par la recherche d'autre chose.

Il y a des moments de repos complet, comme celui que je vis, qui effacent des sommes considérables de fatigue.

Tiens, moi qui n'ai jamais su exactement l'âge de mon père, c'est le moment de le savoir.

De l'ongle j'essaie de gratter le lichen gris qui a mangé le marbre. Je n'y parviens pas. Alors je crache et je frotte. Les chiffres et les lettres apparaissent peu à peu au travers d'une liqueur verdâtre : 26 août 1885.

Il va avoir cent ans bientôt.

Je n'ai plus l'âge de sauter à la corde ou de

jouer à la marelle, l'idée m'en vient pourtant. Envie de bouger. Je cueille un bouquet de fleurs sauvages et je les mets dans un vase, sur la tombe. Je trouve ce geste maladroit, ces fleurs n'ont pas d'eau, elles vont se faner tout de suite alors qu'elles sont si belles.

En même temps je pense que les animaux marquent leurs territoires.

Passons...

Rencontre d'un vieil homme sec, coiffé d'un large chapeau de paille. Son regard est droit et discret, c'est un jardinier sûrement.

— Bonjour, *Salem*!

— *Salem*, bonjour!

J'me balade. Je suis heureuse comme le premier jour. Une sorte d'euphorie paisible m'habite.

Parmi l'avoine sauvage, les herbes folles et les buissons de lentisques je lis des noms. J'en connais beaucoup. Des visages flous, anciens, flottent avec les plantes. Ils sont tous là, tranquilles. Il y a des fleurs autour d'eux, à profusion, comme il n'y en a jamais eu, même les jours de Toussaint les plus endimanchés de chrysanthèmes. Il y a des oiseaux qui nichent à leur tête et à leurs pieds et qui pépient. La nature les relie les uns aux autres, ils ne sont plus séparés par les limites des concessions, les frontières des propriétés. Ils sont tous embarqués sur un grand radeau immobile dont les cyprès sont les mâts et les palmiers les voiles.

Bon vent, mes aïeux, bon vent.

Ma fille arrive.

Elle a raté son avion, j'attends le suivant à l'aéroport. Je reste assise à lire *El Moudjahid* et à regarder les gens. Les enfants grouillent ici, comme partout. Il y a dix-sept ans, au moment de l'Indépendance, il y avait dix millions d'Algériens. Aujourd'hui ils sont vingt ou vingt-deux millions. Plus de deux millions d'habitants à Alger. De mon temps nous étions trois cent mille à y vivre et je ne suis pas Mathusalem...

Je ne m'ennuie pas. Je regarde évoluer les Algériens. Ils n'ont pas changé. Je reconnais leurs gestes, leurs attitudes, leurs silences, leur manière de s'installer dans l'attente, leur goût et leur méfiance de la nouveauté, leur gaieté. Les effusions et les embrassades des retrouvailles. La discrétion du chagrin des départs. Leur indifférence à l'inconfort.

Mais il y a une chose d'eux que j'apprends à connaître, qui n'existait pas avant dans leur comportement, j'apprends à les voir évoluer chez eux, dans leur pays. C'est une nouveauté qui me passionne, j'apprends à regarder un peuple jouir d'être un peuple. Cela me bouleverse d'autant plus que je n'ai pas l'impression, personnellement, d'appartenir à un peuple et que souvent cela me manque. Il y a entre le peuple français et moi l'espace d'une terre qui n'est pas la France : l'Algérie...

Bénédicte vient d'arriver. Je suis contente de la voir. Elle est gentille, elle est belle. Elle sait qu'Alger n'est pas seulement une nouvelle ville qu'elle va connaître et cela m'émeut.

Dans le parking de l'aéroport sont plantés des mûriers pleins de fruits. Je ne les avais pas vus le jour de mon arrivée tant j'étais émue.

Soudain ils m'apparaissent providentiels, présages de bonheur. Je suis tellement contente de voir ma fille, j'espère de toutes mes forces qu'elle aimera mon pays. Je veux le lui offrir. Et, justement, ces mûres grosses, noires, velues. Je ne me souvenais plus qu'elles avaient autant l'apparence de chenilles. Pour moi elles étaient liées, comme beaucoup d'éléments de la nature algérienne, à une sorte de miracle, à un émerveillement : celui des vers à soie se transformant en papillons. Dans mon enfance je me passionnais pour l'élevage de ces animaux qui se nourrissent exclusivement de feuilles de mûrier. Pour cette raison, ces arbres me paraissaient magiques.

J'ai grimpé sur une auto et je suis allée cueillir des mûres, les plus belles, pour les offrir à Bénédicte. Elle n'en avait jamais vu. Elle les a aimées.

26 mai.

Hier soir nous avons rencontré des Belges avec lesquels nous avons parlé. Voilà trois ans qu'ils vivent ici. Au début ils ont aimé l'Algérie et les Algériens. Maintenant ils sont déçus par les Algériens, pas par le pays.

— Pourquoi?

— « Ils » ne s'intéressent pas au rendement. On n'arrive pas à les intéresser au travail.

A l'époque des colons, on disait des Arabes : « C'est des paresseux, ils n'aiment pas travailler. » Aujourd'hui on n'ose plus dire ça, alors on dit que le régime ne les motive pas assez pour leur donner le goût de l'effort.

Une conversation tout à fait inutile a suivi les propos de ces gens. Moi, j'ai parlé du droit que l'on a de ne pas accepter le rythme européen. Eux ont parlé du choix de l'industrialisation fait par le gouvernement algérien, choix qui implique ce rythme. Tout le monde avait raison probablement. Je pensais : « Qu'ils leur foutent donc la paix » et je l'ai dit. Mais je sais bien que, d'une certaine façon, les Belges avaient raison. D'une certaine façon, puisque on n'a pas encore trouvé le moyen de se moderniser sans changer d'âme.

Ce matin nous avons déjeuné chez des vieux amis qui sont revenus vivre ici. J'ai raconté ma joie d'être à Alger. Nelly m'a dit qu'elle était heureuse aussi d'être revenue et qu'en général tous ceux qui reviennent en éprouvent du bonheur. Son mari a ajouté que les choses changent depuis deux mois d'une façon très sensible :

— Le régime se durcit, exige plus de rigueur et se bureaucratise encore plus. L'esprit islamique prend plus d'importance et il en découle plus d'intransigeance vis-à-vis des étrangers... Ce matin je suis tombé au téléphone sur un employé qui a refusé de parler le français. C'est la première fois que ça m'arrive.

Dans la matinée j'ai rencontré des étudiants qui se sont plaints des menées des « frères musulmans » à l'intérieur des universités. Si elles sont en grève en ce moment, c'est en bonne partie à cause de ça, disaient-ils. Dans *El Moudjahid* je n'ai rien lu à propos de ces grèves. De même, il n'a pas été question dans ce journal des troubles de Kabylie. Et tous les journaux étrangers ont été interdits en Algérie quand le conflit kabyle a éclaté.

Pour rentrer à l'hôtel nous avons été prises en surcharge par un taxi. Nous y avons ainsi fait la connaissance d'un garçon triste, il a parlé du manque de distraction pour les jeunes en Algérie, et du fait que les jeunes filles étaient l'objet d'une surveillance très serrée de la part de leur famille. Lui-même était amoureux d'une belle qu'il ne pouvait pas voir, bien qu'elle soit majeure. Il a lancé :

— Sans véhicule y'a pas un père qui veut qu'on sorte sa fille. Une auto, ça veut dire qu'on est riche ou qu'on appartient à une famille riche.

Le prix des femmes! Il paraît que ce n'est plus une mauvaise affaire maintenant d'avoir des filles. Plusieurs filles dans une famille, c'est même un véritable capital. Il y a de l'argent dans le pays et il circule. Il y a celui qui est gagné sur place et celui que les travailleurs émigrés envoient de l'étranger. Le marché noir s'est installé. Tout augmente. Les femmes aussi. Dans la campagne une femme vaut couramment vingt mille dinars (vingt mille francs). Une femme se garde précieusement, plus elle est intacte plus elle vaut cher.

Je ne sais plus par quel bout prendre toutes ces informations. Des Algériens m'ont dit plusieurs fois qu'il n'y avait pas de chômage en Algérie. Les étrangers disent qu'il y en a, certains ont même avancé le chiffre de sept cent mille chômeurs. Pourtant un entrepreneur algérien de travaux publics m'a assuré que ses chantiers n'avançaient pas faute de main-d'œuvre disponible.

Je suis plutôt encline à croire ce que disent les Algériens que ce que disent les autres. Les « autres » se font du travail une idée dont je me méfie.

Pas de temps pour réfléchir à tout ça, pas assez d'éléments.

En arrivant je suis tombée dans une famille

algérienne heureuse, traditionnelle, où tout me paraissait bien. J'avais noté simplement une réticence à parler de la Kabylie et des inquiétudes vagues à propos de l'argent, de la circulation de l'argent exactement. Il s'agissait de gens discrets et méfiants. Je ne les ai pas poussés à parler. D'ailleurs ils ne l'auraient pas fait et je me serais montrée grossière en les questionnant trop. Et puis, dans l'euphorie des retrouvailles, j'avais chassé ces ombres.

Maintenant il me semble qu'il y a un malaise latent dans les esprits. Mais je ne sais pas bien discerner de quelle nature il est.

Je suis tellement prise par aujourd'hui que j'en viens à oublier les morceaux d'hier que chaque jour je rencontre. Ainsi, cet après-midi, j'ai emmené ma fille au Bardo. Bénédicte était émerveillée et surprise par la disposition des pièces dans cette vieille maison et par la complication des escaliers.

L'architecture... la pensée...

Il se passe quelque chose avec l'architecture dans ce pays. Les Algériens construisent beaucoup à cause de la démographie galopante, comme on dit. Ils construisent moderne et occidental. Mais c'est à Pouillon, un Français, qu'ils demandent de bâtir des centres touristiques et lui, il réalise des ensembles (très beaux) dans le style des vieilles villes algériennes. Les Algériens en sont fiers et vous conseillent tous d'aller visiter Sidi-Ferruch, Zéralda, Tipasa... Comme si le passé c'était juste bon pour le tourisme. Ils font pourtant une grande campagne en faveur de l'arabisation.

Impression d'être la spectatrice d'une déviation, d'une perversion, d'un leurre, d'une gymnastique. Plusieurs fois, en parlant avec des étrangers, j'ai dit en me moquant d'eux qu'ils avaient l'air d'être des missionnaires convaincus de l'utilité de leur mission. Ils ont refusé le mot mission. « Nous sommes venus ici pour gagner plus d'argent », a dit une jeune femme. « Pas seulement », a rétorqué son mari.

Pays sous-développés. Pays en voie de développement. Pays civilisés... Les trois marches. Les trois degrés à grimper. Pour arriver où? Et, pour ceux qui sont en voie de développement (ce qui est le cas de l'Algérie), attention de ne pas perdre sa culture en route! Tout cela procure une impression de confusion, de malaise. Idée d'écrire un conte qui s'intitulerait *le Muezzin dans les aciéries.*

Le Bardo. De l'extérieur, vu des jardins qui l'entourent, le Bardo a des murs hauts, blancs, à peine percés de quelques petites fenêtres à barreaux, d'une porte cloutée de cuivre et de minuscules moucharabiehs. Une énigme plutôt hostile. Mais, pour moi qui connais le Bardo, qui sais ce qu'il contient, je me réjouis de voir ses trésors si bien gardés. Dedans, pour commencer, la fraîcheur, l'ombre, l'obscurité presque. Il ne faut pas encore révéler au visiteur, éventuellement importun ou avide, la beauté du trésor. Vastes pièces vides faites pour les rencontres officielles, les marchés, les tractations. Au fond, un escalier inattendu, étroit, aux marches noires, conduit au cœur du palais : un jardin, un bassin avec de l'eau courante, des arcades, des fenêtres qui sont des regards indiscrets : on les voit mais on ne voit pas ce qu'elles cachent. La véritable maison se trouve là, donnant sur des verdures privées. Dédales de pièces longues enroulées autour de patios couverts ou de jardinets odorants. Chambres bonnes pour dormir, se reposer, jacasser, faire l'amour, manger des sucreries. Toujours un coin sombre d'un côté et de l'autre une ouverture sur un cyprès, une glycine, un palmier, une vigne vierge, un figuier, un jasmin, le ciel. Percées de lumière, paupières entrouvertes sur la joliesse. Les murs sont couverts de carreaux de faïence colorée représentant des géométries fleuries ou parfois de hauts bouquets dans leurs vases. Les sols sont des damiers de dalles noires et blanches. Balcons de cèdre. Escaliers dérobés faits pour les fuites éperdues, les rendez-vous discrets, les surveillances jalouses.

Goût du mystère. Goût du secret. Goût du repliement. Goût de la méditation. Et aussi goût de la réunion, goût de la tribu, goût de la fête et de la ripaille, goût des couleurs et des odeurs.

Maison faite pour protéger la famille et ses confidences. Mais aussi jardin, puits de lumière, lieu de palabres.

27 mai.

Aujourd'hui j'ai revu Sidi-Ferruch, la plage ouest.

L'endroit est incroyablement dévasté, dégradé, et, par-dessus le marché, la plage a disparu. La mer bat régulièrement le pied des maisons...

La villa des Robe est en bon état, celle des Coudray aussi. Il y a des travaux chez les Duroux. Le reste est une ruine, un concassement, une moisissure, une sorte de décharge municipale. Et des enfants partout, qui couraillent, qui s'amusent. Des garçons montrent leur petit bout de sexe sur notre passage.

Cette fois-ci le choc du passé me tombe sur la tête et je n'ai pas envie de visiter la nouvelle cité touristique où les amis qui m'ont accompagnée tâchent de m'entraîner. Je ne veux que la regarder de l'extérieur. C'est très beau, c'est très bien, ça ressemble aux photos du Club Méditerranée.

L'autre plage disparue là-bas, les villas en ruine, j'y ai connu tant de bonheurs! J'y ai connu aussi l'inquiétude excitante des premières amours. Les dunes, derrière, sentaient les lys et les tamaris, leur sable était doux et tiède comme une peau. Maintenant elles sont pleines d'ordures.

Il paraît qu'au moment de l'Indépendance le peuple a envahi les maisons des Français et les a volontairement dégradées. Ils ont enlevé les portes et les volets, tout ce qui était récupérable et vendable, mais ils ont préféré retourner dans leurs masures plutôt que d'occuper ces lieux qui sentaient encore le chien... Depuis ce temps les maisons ont pris tous les vents, toutes les pluies et tous les embruns, elles sont devenues des taudis à leur tour. Même les arbres ont crevé.

La plage ouest de Sidi-Ferruch, pour moi, c'est la claque, une formidable paire de gifles que je reçois en plein là où ça fait le plus mal, là où c'était le plus innocent. Elle est la concrétisation de la guerre sauvage.

Il ne fait pas beau. Depuis dimanche le temps est couvert. Ma fille n'a jamais vu la baie d'Alger dans son entier tant il y a de brume.

Premier bain à La Madrague. La mer efface tout, elle lave les souvenirs anciens, elle est fraîche, elle ravigote, elle ramène à l'essentiel.

Je n'ai pas envie d'une Algérie de carte postale ou d'une Algérie désuète. J'ai envie de l'Algérie comme elle est. Oui, ça arrive quelquefois, même à la fin du mois de mai, qu'il ne fasse pas beau ici. Ça n'a pas d'importance.

Je suis étonnée de constater à quel point le passé me pèse peu. C'est le passé, voilà tout. En revanche le présent me passionne. Pour la première fois je regarde un pays et un peuple en train de naître. Ça me fascine, mais aussi ça m'angoisse.

Il y a un tel espoir autour de moi!

Et ils sont si nombreux, chaque jour un peu plus nombreux. Comment vont-ils s'en sortir?

Je ne suis ni journaliste, ni économiste. Je ne suis pas venue ici pour me poser ces questions, mais elles s'imposent à moi. J'aime ce pays, il n'y a rien à faire.

Il paraît qu'on a arraché les deux tiers de la vigne pour planter des céréales. C'est normal, les Algériens ne boivent pas de vin et, du vin, il y en a trop en France. Mais beaucoup de champs que j'ai connus cultivés paraissent maintenant à l'abandon, envahis par l'herbe.

Disparues les belles terres retournées et travaillées des colons. Alignements impeccables des vignes vertes dans le sol rouge. Abandonnés, comme les maisons de Sidi-Ferruch. Abandonnés pour les mêmes raisons? Pour la revanche et le mépris?

En quoi consiste l'économie du pays? Est-ce que le pétrole et le gaz peuvent remplacer tout le reste? Avant il y avait du vin, du manganèse, des olives, des primeurs, des agrumes... Pas grand-chose, c'est vrai, mais quand même!

Chaque jour j'achète le journal, le seul journal, et je le lis tout entier. J'essaie d'y trouver d'autres voix que sa voix officielle qui est sérieuse, raisonnable, démocratique, généreuse et théorique surtout. Une voix sentencieuse et casse-pieds, il faut bien le dire. Une voix qui ressemble à d'autres voix qui ne sont pas algériennes, des voix qui laissent construire des goulags et des HLM. Dans le courrier des lecteurs, quelquefois, il y a une vie qui passe, aux prises avec une terre dure à cultiver, des villages isolés, des coutumes anciennes et des désirs nouveaux. Je la trouve poignante.

28 mai.

Rencontré une femme algérienne, professeur à l'université.

Elle m'apprend qu'un de mes livres a été mis au programme des étudiants de lettres. Cette nouvelle me fait monter les larmes aux yeux.

Moi qui reçois tant de courrier, je ne reçois jamais de lettres d'Algérie. Je me demandais si mes livres étaient lus dans mon pays. De savoir qu'ils le sont, et qu'ils sont appréciés, me procure une joie formidable.

L'université est en grève en ce moment, sinon ce professeur m'aurait demandé de venir rencontrer les étudiants et d'autres professeurs. Dommage, j'aurais aimé ça.

Pourquoi l'université est-elle en grève? J'ai vu des banderoles à Ben Aknoun qui parlaient de fascisme... Elles ressemblaient aux banderoles que je viens de voir à Paris, à Jussieu. Les situations de ces jeunes semblent, pourtant, incomparables. Les uns sont liés à de vieilles habitudes, à un conservatisme gâtifiant, à un enseignement de la culture où la culture se perd. Les autres se cherchent des structures qui leur soient propres, essaient de dégager leur culture du passé français, tâtonnent vers un modernisme algérien à trouver. Pour les uns c'est l'immobilité, pour les autres c'est l'aventure, mais ils s'expriment avec les mêmes slogans...

Dans le fond, j'ai l'impression qu'ils crèvent tous de l'Histoire, qu'elle soit toute neuve comme ici ou très vieille comme là-bas. Ils ont envie de vivre aujourd'hui et demain. Mais, sauf pour eux, aujourd'hui c'est encore hier. On dirait que le XIXe siècle va durer deux siècles.

Plus les jours passent, plus je me rends compte que mon voyage prend un tour inattendu. Je venais chercher ce qu'il y a en moi de plus archaïque, de plus ancien, les rythmes du commencement. J'ai trouvé tout ça intact, dès mon arrivée. Je nage dedans à longueur de journée, je m'y baigne avec délices, je sais que je n'ai pas trahi, que je ne me suis pas dévoyée. J'en ressens une profonde paix, une satisfaction, un bonheur. Mais je me trouve en même temps confrontée à ce qu'il y a en moi de plus récent, de plus nouveau, de plus instable. Drôle d'affaire!

Je viens d'entraîner Bénédicte jusqu'à mon école. La cour croule de bougainvillées mais le vieil olivier a disparu. Le jour de la déclaration de guerre de l'Italie, un avion ennemi avait survolé Alger et les artilleurs français, endormis à l'ombre des eucalyptus du Fort-l'Empereur, s'étaient réveillés pour tirer un formidable coup de pétoire. Une énorme déflagration avait secoué la ville de ses vibrations guerrières et, du coup, l'olivier de l'école avait perdu toutes ses feuilles!

A part ces changements dans la végétation, tout est pareil. Même la plaque sur la porte d'entrée. Onze années passées là-dedans. Onze années à m'empiffrer des interdits et des grâces de ma religion avec, en prime, quelques connaissances culturelles dans le genre « nos ancêtres les Gaulois », « rosa-rosae », « les sous-préfectures des départements français », « la dérivée d'X^2 c'est 2X », etc.

Mon école de bonnes sœurs est devenue un CES pour jeunes filles.

Dans ce coin-là de la ville, je peux dire que pas un seul pavé n'a bougé. A part que les grilles et les portes de l'église Saint-Charles sont fermées. Ma vieille paroisse fait penser à un blockhaus. On croirait qu'elle se défend d'une agression.

Au moment de la conquête de l'Algérie par les Français, la plupart des mosquées avaient été transformées en églises, et un décret de 1860 avait interdit l'entrée des lieux du culte catholique aux musulmans. L'Histoire se tourne et se retourne comme une crêpe.

29 mai.

Chréa.

Le temps est encore mauvais là-haut alors qu'il s'est amélioré sur la côte. Les montagnes ont un chapeau de nuages. Les arbres peignent de lentes coulées de brouillard.

Tout est intact; un peu plus vieux mais intact. Je crois jouer la Belle au bois dormant. Il n'y a personne. Les chalets sont fermés. La subtile odeur du bois de cèdre s'insinue partout. La température est si basse pour la saison qu'il y a encore beaucoup de pensées bleu et jaune dans les sous-bois, des pâquerettes, des églantines, des aubépines.

Même pas question de souvenirs. Le présent se confond tellement avec le passé que je n'ai pas besoin de me rappeler. Je suis là. Hier aussi j'étais là. Hier j'avais dix ans, aujourd'hui j'ai cinquante ans, mais il n'y a qu'une seule journée de passée. Ce bloc d'ardoise, là, au bord du chemin, c'est moi qui l'ai déplacé hier, pour mieux faire du vélo.

Je rencontre une foule d'amis et de connaissances : les cèdres.

— Bonjour, vous n'avez pas changé. Moi non plus.

Toi, je peux te grimper par là et toi par ici, toi tu es inabordable, tes branches sont trop espacées. Et toi le vieux, avec ta branche basse recourbée comme un berceau! Eh, bonjour!

Quand les nuages se dispersent un peu, je contemple, entre les branches de mes copains, mille mètres plus bas, Blida qui se dore au soleil et toute la plaine, jusqu'à la mer.

Ça me plaît de voir Bénédicte courir comme

un cabri sur l'herbe fraîche, sous les ombrages de mes vieux complices.

Décidément Chréa sera toujours pour moi un lieu d'exception, un endroit de rareté. Il faut une heure d'auto, à peine, pour que le miracle se produise, pour passer de la mer à la montagne. Et quelle montagne! Haute, plantée de cèdres bleus. Avec de la neige! Cette neige, je ne sais combien de fois je l'ai attendue ici, pour Noël. Elle venait toujours avant les vacances ou après les vacances, rarement pendant. Elle était agaçante. Mais je me souviens des matins qui suivaient les rares nuits où elle était tombée. Je me réveillais et j'entendais la neige, j'entendais son feutré, son muet. Il fallait sortir vite et la toucher car elle ne tenait pas longtemps.

A Chréa, au printemps, il y avait des violettes, des crocus, des fleurs rares, des fleurs de France... Et puis il y avait les feux de bois. Ils embaumaient. Odeur précieuse du bois de cèdre, odeur délicate, exquise. Et puis il y avait, il y a, les chenilles processionnaires qui font leurs nids blancs dans les arbres et qui donnent de l'urticaire. En été, les unes derrière les autres, comme leur nom l'indique, elles défilent sur des kilomètres.

A Chréa il y a des scorpions jaunes sous toutes les pierres. Il suffit d'en retourner une pour en dénicher. Surpris, immédiatement en alerte, les pattes écartées, la bête dresse sa queue et se prépare à projeter son dard recourbé sur qui l'approche. Nous les enfants, nous nous amusions à fabriquer des rondes de papiers froissés dans lesquelles nous poussions les scorpions du bout d'un bâton. Quand il y en avait une bonne douzaine, nous mettions le feu aux papiers et nous nous amusions à regarder les scorpions s'entre-tuer à coups de dard; ils préféraient mourir comme ça que brûlés. Pour nous, ces animaux étaient néfastes et leurs piqûres mortelles. En fait, les scorpions de Chréa n'étaient pas très venimeux, mais nous ne voulions pas le savoir. Et un jour que l'un d'eux m'avait piquée au coude, comme je rentrais au chalet dans tous mes états, persuadée que j'allais mourir bientôt, ma mère, pour me calmer, m'a mis sur le bras un peu de produit contre les piqûres de moustiques. J'en ai été profondément vexée et j'ai persisté, incomprise, à attendre mon trépas. Je me souviens du retour vers Alger le soir, de la ville pleine de lumières et je me rappelle avoir pensé tragiquement : c'est la dernière fois que je revois ma maison...

Nous quittons Chréa. Encore une fois aucune nostalgie, rien qui pince le cœur, rien qui ressemble à un regret.

Retour vers la côte par une campagne foisonnante de fleurs. Un éblouissement. Que ce pays est beau, comme il me convient bien, avec quelle facilité je me laisse charmer par lui! Je le prends, je l'aspire, je le touche, je le caresse des yeux! Ce sont vraiment des noces entre lui si vieux et moi si vieille! Quelle fête!

A l'hôtel, coup de téléphone d'une femme médecin qui aimerait me rencontrer.

Elles me connaissent, je n'en reviens pas!

30 mai.

Plage. Soleil. Méditerranée. Ce sable. Cette côte. Ces dunes. Je ne les ai jamais quittés. Il n'y a pas de retrouvailles. C'est un jour de soleil comme tous ceux que j'ai déjà vécus ici. Le délice du bain s'inscrit dans mon corps dès que je vois la mer, sa couleur, son agitation. Je sais quelle sera sa fraîcheur. Je sais comment elle va occuper ma peau chauffée par le soleil. Je sais comment elle va me pénétrer et comment je jouerai avec elle.

En hâte enlever mes vêtements, installer ma serviette et m'allonger sur la plage onduleuse, à plat ventre.

Un cafard noir. Lui, je l'avais oublié. Bonjour, ça s'est bien passé ces vingt-quatre années? Ça a l'air. Il se dépêche et ses pattes brodent un long galon précis dans les reliefs du sable. L'odeur des tamaris arrive par bouffées douces, sensuelles.

La durée n'existe pas. Ce qui existe c'est la bienheureuse succession des jours. Le temps ne se compte que dans le travail ou le malheur. Sinon il coule sans interruption, sans heurts, et moi je coule avec lui, interminable, identique. L'enfant, l'aînée, pareilles, inscrites dans le Rythme, indispensables.

Je regarde le cafard. Est-ce que je sais son âge? Non, c'est le Cafard, il n'a pas d'âge. Moi non plus, je suis la Moussia. Le Rythme a besoin que je sois, sinon il n'existerait pas lui-même. Je le sécrète, il me sécrète. Roulade de la perfection, de l'absolue satisfaction.

Est-ce d'avoir tant écrit dans ce sable qui me donne la paix, la confiance que j'éprouve ici?

Faire pivoter l'avant-bras autour du coude et,

par ce mouvement, ouvrir un grand éventail sur la plage. Inscrire du bout du doigt sur la nouvelle page blonde : « J'aime Jean-Pierre. » Projeter hors de moi, par ces quelques lettres, la totalité de ma vie, de mes désirs. Considérer avec satisfaction et inquiétude mon double creusé dans le sol, immobile pour une fois, tranquille, clair. Quelqu'un approche, d'un petit geste de rien du tout j'efface.

Est-ce parce que les plages de cette côte contiennent tous mes secrets que je m'identifie aussi complètement à elles?

Inscrire : « Je veux gagner la course — Je ne crois pas en Dieu — Edith est mon amie — Je n'ai pas faim — J'ai peur de mourir — Où est mon père? — Ma mère me casse les pieds — Est-ce que j'aurai des enfants? — Combien? — Cet après-midi, j'irai avec Jean-Pierre dans les dunes. »

Inscrire les points et les croix des batailles navales. Inscrire la rondeur de la cible où le couteau devra se planter droit, le manche en l'air, le plus près possible du centre. Inscrire la piste rectangulaire au-dessus de laquelle se manipuleront les roseaux, du dos et du plat de la main. Gagner — Perdre. Affrontements de l'enfance. Découvrir ce que c'est que de gagner ou de perdre là, sur du sable, sur ce terrain où tout s'efface, qui ne sera jamais un témoin, seulement une mouvance avec laquelle je peux me confondre.

Ai-je d'autres secrets, d'autres victoires et d'autres défaites que celles de mon enfance? Est-ce que ces plages ne m'ont pas appris qu'on peut toujours recommencer, que c'est toujours pareil et toujours différent?

J'ai trop chaud, je vais dans l'eau.

31 mai.

C'est l'anniversaire de Bénédicte. Elle a vingt-deux ans aujourd'hui.

Flashes de sa naissance, à Lisbonne.

Tout à coup ce voyage à deux ici, elle et moi, m'apparaît comme une compensation, une réparation, du fait que je ne l'ai pas mise au monde en Algérie, qu'elle a été privée de ça.

Plusieurs fois en circulant dans Alger, quand je passais dans le quartier de l'Oriental, j'ai jeté un coup d'œil du côté de la clinique où mes autres enfants sont nés. Impression animale d'avoir fait ce qu'il fallait. Impossible de comprendre pourquoi. J'ai accompli, une fois, un voyage très long pour venir pondre ici, comme les tortues, comme les saumons... Pour Bénédicte je n'ai pas pu, la ville était à feu et à sang, je ne pouvais pas y faire mon nid.

Réunion dans le hall de l'hôtel avec un groupe de femmes algériennes.

Encore une fois les larmes me montent aux yeux. J'éprouve de la reconnaissance pour elles. Pourquoi? Il me semble qu'elles me font un cadeau magnifique. Pourquoi? Il me semble qu'elles me pardonnent.

Je n'ai rien à me faire pardonner. Bien que pied-noir, je n'ai jamais été pour l'Algérie française. Dès mon enfance j'ai été en conflit avec ma famille pour des raisons personnelles d'abord, ensuite ces raisons sont devenues politiques. J'étais contre ce que représentait ma famille : la France et ses conquêtes, son empire colonial, sa morgue, son mépris, son racisme, son humanitarisme hypocrite. J'ai eu, bien avant la guerre d'Algérie, des amis arabes et des amis français de gauche (pas de la festive gauche parisienne). Ils ont tous été tués ou chassés par l'OAS. Et si je n'avais pas été en poste à l'étranger avec, en plus, deux bébés sur les bras, je me serais battue avec eux. Il n'a jamais été question pour moi de faire le moindre compromis à ce sujet.

Alors pourquoi cette envie de dire merci, ces larmes aux yeux?

C'est dans ma vie d'écrivain que cela se situe, dans mes livres, dans ce que j'y mets.

Quand j'écris un roman je ne pense pas que les pages que j'écris deviendront un bouquin et qu'il sera lu. Si j'y pense, je ne peux plus écrire. Car dans mon cahier s'accomplissent les actions les plus privées de ma vie.

D'une part je suis une solitaire. J'essaie d'extirper de moi les inquiétudes et les questions qui m'empêchent de jouir de ma solitude. Je les projette dans un autre moi blanc, plat et stable qui est un tas de feuilles (comme je faisais avec le sable).

D'autre part j'aime les autres. Je tâche de partager avec eux — qui ne sont, pendant le temps de la rédaction, que du papier — ce qui me plaît, ce que j'aime, ce que je goûte.

J'ai avec mon manuscrit des rapports passionnels. Je ne le quitte pas, il faut qu'il soit à côté de moi quand je m'endors. Je le déteste, je l'aime, j'ai peur de le perdre.

Les mois et les années passant, cet ensemble de

jouissances et d'angoisses transcrites apparaît subitement comme un roman. Alors les pages ne m'appartiennent plus, le manuscrit me devient étranger. Il faut impérieusement que je le mette dehors. Cette expulsion est un acte indispensable et impudique que je dois faire. Il y va de mon équilibre.

Impudique, le mot est sorti.

Ce que je ne cesse d'écrire au long de tous mes romans c'est comment ma terre m'a appris l'amour, et à faire l'amour, et comment, moi, j'aime, je fais, je faisais et je ferai l'amour avec elle, avec ce qui lui ressemble le plus, ce qui est le plus proche d'elle. Je veux tout exprimer de ça. Ça m'est égal d'être impudique, d'offenser la pudeur. Je n'aime pas la fausseté de la pudeur, je ne veux pas être en proie à cette maladie-là.

Mais je n'aimerais pas être indécente. Il y a dans l'indécence de la malhonnêteté et de l'obscénité. Je détesterais être indécente dans mes livres.

Or, dans un rapport de lecture de mon premier manuscrit (rapport confidentiel, fait par Claude Roy, que je n'aurais jamais dû lire mais que j'ai lu parce que l'édition française se nourrit de fuites, elle adore ça, elle vibre de chuchotis et d'indiscrétions), dans ce rapport donc, il était écrit que mon manuscrit n'était pas mauvais, qu'il avait même des qualités et que, par miracle, j'avais évité de faire « encore un livre de jeune femme indécente ».

Cette phrase m'avait fait plaisir et m'avait alarmée aussi. La frontière entre l'impudeur et l'indécence est vite franchie. J'ai su que pour rien au monde je ne voulais la franchir et pourtant quels risques je prenais en écrivant!

J'avais rédigé mon premier roman en 1960 et 1961 (il a été publié en septembre 1962). Il racontait une histoire d'amour. Une jeune femme, née en Algérie et exilée à Paris, retrouvait, au fur et à mesure qu'elle devenait amoureuse, ses rythmes propres, les rythmes de sa terre. Étant donné l'époque j'avais voulu l'écrire avec une extrême retenue et avec, pourtant, un désir farouche de dire mon amour pour l'Algérie.

C'était mon premier livre, ensuite j'en ai publié sept autres, toujours en veillant à éviter l'indécence. Ce n'est pas facile car j'écris, tout le temps, de la vie d'une femme et d'une terre ravagée par les conflits des humains. Deux sujets tabous que je veux aborder, quoi qu'il m'en coûte, avec obstination et avec décence. Je sais, par des témoignages venus de « presque » partout, que j'y suis arrivée. Si la pudeur en prend un coup, encore une fois tant pis.

Mais, en Algérie, qu'est-ce qu'elles en pensaient? Qu'est-ce qu'ils en pensaient? Leur jugement me manquait et leur silence était une torture. Car s'il y a des êtres qui ont le droit de me juger indécente, ce sont bien eux, ce sont bien elles. Elles sont les véritables enfants de ma terre, ses héritières. Moi, je ne suis que sa fille naturelle.

Ainsi, si ces jeunes femmes sont aujourd'hui autour de moi, si leurs visages sont amicaux et leurs regards souriants, c'est qu'elles ne m'ont pas trouvée indécente, c'est qu'elles me reconnaissent.

Nous nous asseyons dans le hall de l'hôtel, face à la baie d'Alger. Combien de fois ai-je souhaité ça depuis des années? Des millions de fois.

Dans le groupe une seule femme est une Française mariée à un Algérien, toutes les autres sont Algériennes. Elles parlent un très beau français sans le moindre accent. Cette langue leur appartient entièrement, elles en connaissent les moindres nuances.

Yeux noirs. Boucles noires. Une manière de se tenir, de s'asseoir, de bouger qui n'est pas européenne. J'ai souvent remarqué que les Occidentaux ont les membres raides, que leurs articulations des hanches et des épaules et surtout celles des coudes et des poignets, sont moins mobiles que celles des autres peuples. Les mouvements graciles et vifs des bras des femmes arabes sont dans ma mémoire. Je sais comment elles roulent le couscous, comment elles essorent le linge, comment elles tâtent les fruits du marché, comment elles parlent avec les mains. Celles qui sont autour de moi ont cette agilité dans leurs membres mais elles s'en servent pour enseigner, pour plaider, pour convaincre; elles sont des professeurs, elles ne sont plus des « fatmas »...

Depuis que je suis ici je pense sans arrêt au miracle, à la merveille, qu'est une révolution.

Elles s'animent. Elles commencent à parler de leurs existences qui sont pleines à craquer. Elles ont un pays à construire, des étudiants à instruire et leurs vies de femmes à faire admettre. Ce n'est déjà pas facile ailleurs mais alors ici... Quel travail, quelle œuvre!

Elles sont à la fois graves et exaltées. Elles en veulent, elles y vont. Je les écoute attentivement. Il va me falloir du temps pour faire un tri dans ce qu'elles me donnent, pour que leurs mots, leurs réflexions, leurs expériences, leurs histoires deviennent, pour moi, une connaissance. Je suis en train d'apprendre ce que sont les revendications spécifiques des femmes algériennes... Il leur faudra du courage et de la ténacité.

Aujourd'hui je pars pour Tipasa où je vais rester une semaine avant de retourner en France.

A Alger, très vite, ma vie s'est remplie de gens, de rendez-vous, de téléphones, de réunions. Or, je ne dois pas me leurrer, je ne dois pas me croire capable d'entrer de plain-pied dans la nouvelle vie algérienne, elle est à la fois trop semblable et trop différente de celle que j'ai connue avant. Il faut que je laisse décanter la profusion des images, des souvenirs, des surprises, des questions qui se sont accumulés autour de moi depuis neuf jours.

J'aimais ma mère et ma mère aimait les fleurs. Moi aussi. Quand je voulais lui exprimer mon amour, je pensais à lui offrir un bouquet. Il y a beaucoup de fleurs en Algérie, ce n'est pas difficile d'en cueillir. Mais il y a mille façons de composer un bouquet. La petite fille partait dans la campagne avec le désir d'une gerbe précise qui aurait certaines couleurs et une forme particulière. Une architecture florale qui ressemblerait à son affection du moment : ronde, pointue, en éventail, jaune-chaude, bleue-fraîche... Or il lui est souvent arrivé de marcher dans le foisonnement des fleurs et d'être incapable de faire un bouquet. Elle ne parvenait pas à choisir, à se décider, il y en avait trop. Son désir s'échevelait, se dispersait, s'embrouillait, s'enrichissait au point qu'elle ne savait plus le préciser. Elle revenait les mains vides.

C'est un peu ce qui se passe depuis que je suis ici. Les deux premiers jours j'ai retrouvé le pays intact, aussi beau que dans mes plus beaux souvenirs, et même quelquefois plus beau. Et puis, très rapidement, cette base immuable et magnifique s'est transformée en présent. Un présent qui ressemble aux champs fleuris de mon enfance : je ne sais plus penser, il y a trop de choses nouvelles, trop de réflexions possibles.

Envie de parler de la révolution.

Envie de parler des femmes.

De ce que sont, en Algérie, la révolution et les femmes.

Mais je n'en sais pas assez. Je voudrais comprendre l'Histoire, je crois pouvoir la maîtriser ou me l'approprier, mais elle est plus forte, elle me dépasse.

1er juin.

Hier soir, à Tipasa, les crapauds. Je les avais oubliés. Comment ai-je pu faire un oubli pareil! Tant de soirées, tant de veilles, tant de pensées et de raisonnements, tant de solitudes, rythmés par leurs coassements. La liberté, l'amour, la discipline, l'avenir, la mort, tournés et retournés dans tous les sens par ma tête d'enfant curieuse, anxieuse et impatiente, pendant que, dehors, dès la tombée de la nuit, les crapauds concassent, à grand bruit, les lourds blocs de leurs existences. Gardiens du noir, témoins de l'incessante évolution de la vie. Il n'y a pas d'arrêt, pas de repos. Le mouvement ne s'arrêtera pas avec mon sommeil pour reprendre à mon réveil. Je le sais. Les crapauds me le font entendre.

J'ai dit à Bénédicte : « Tu vas voir, ils vont s'arrêter tous ensemble vers minuit. » Et ils se sont arrêtés. Ce rythme était en moi et je l'avais totalement occulté. Pourquoi?

Ce matin, le bruit des vagues. Elles entrent dans mon berceau comme des nourrices pleines de lait. A seulement les entendre je sais de quelle couleur est la mer, quelle heure il est, quelle sera la lumière de la journée. Bercez-moi encore, j'ai besoin de vos seins lourds, de votre rengaine murmurée, de votre sérénité. Je ne me lasserai jamais d'être bercée par vous. Par vous, telles que vous êtes, sur la côte qui va du Chenoua à Sidi-Ferruch.

Une hirondelle a fait son nid contre la fenêtre de notre chambre. Les hirondelles, ça porte bonheur. Elle s'active beaucoup, elle entre et sort tout le temps de son nodule d'argile. Par moments elle se repose sur son seuil. Je vois son ventre et son cou blancs, palpitants. Puis la voilà repartie, dessinant dans le bleu du ciel un *M* majuscule, comme dans les dessins d'enfants.

Quelle paix, quelle beauté!

Je n'irai pas à la ferme comme je projetais de le faire quand j'étais à Paris. Le passé m'ennuie, mon passé particulièrement. J'ai beaucoup de souvenirs, tant mieux. Mais je n'ai pas envie de me rouler dedans. Cette ferme est trop loin, à cinq cents kilomètres d'ici. Je ne suis pas parvenue à louer une voiture. Aller là-bas impliquerait un tas de complications et de dépenses, pour quoi faire? Uniquement pour rencontrer des lieux et les confronter à mes souvenirs. Ça me paraît malsain. Ça me paraît indécent. D'autant plus que j'ai vu dans la Mitidja plusieurs « fermes socialistes » comparables, certainement, à ce qu'a dû devenir la ferme de ma famille. Des sortes de bidonvilles ont proliféré dans les cours et à l'entour. Souvent les cultures sont à l'abandon ou négligées.

Je suis trop ignorante pour juger, ou pour critiquer, ou pour, seulement, rendre compte. L'accroissement de la population et l'industrialisation posent à ce pays des problèmes qui me dépassent et ce n'est sûrement pas en allant faire l'inspection de mes terres que je les comprendrai.

A chaque fois que je suis allée dans la campagne j'ai rencontré des paysans et j'ai parlé avec eux. Leurs problèmes ne sont pas simples. Certains, rares, sont restés propriétaires de leurs lopins de terre, ils disent que l'Etat mange la plupart de leurs bénéfices et qu'ils n'ont plus envie de travailler que pour produire ce qui est nécessaire à leur famille. Les autres, les plus nombreux, ont bénéficié du partage des fermes des colons français. On leur a donné à chacun un terrain qu'ils cultivent à leur guise. A côté de cela ils travaillent en commun les terres pour la communauté. Il paraît que la colonisation les a pourris à un point tel qu'ils préfèrent s'occuper de leur bout de terrain personnel et qu'ils laissent le reste aller à vau-l'eau.

Je ne me sens pas autorisée à parler de ça. L'Algérie n'est pas seulement un pays en voie de développement économique, c'est aussi un pays en voie de développement socialiste...

Le poète algérien Malek Haddad a écrit : « Sans l'islam nous ne sommes rien. Sans le socialisme nous ne pouvons rien. » C'est exactement cela que j'entends et perçois partout et qui m'obsède comme un balbutiement, un bégaiement, un entêtement, parfois comme une leçon apprise par cœur, parfois comme un discours d'espoir. La partie est en train de se jouer, ça se sent, c'est tangible, cela m'inquiète et m'exalte.

2 juin.

Le Chenoua est une montagne sombre, abrupte, qui dégringole dans la mer. A ses pieds, qui sont des falaises rouges, se tend le long arc de la plage où je suis. Le Chenoua a toujours clos l'horizon de mes plages, Sidi-Ferruch, Zéralda, Douaouda, Tipasa. Il est, pour moi, la solide charnière de la terre et de la mer qui sont ici en parfaite harmonie, se festonnant l'une l'autre.

Ce matin deux chameaux se sont couchés sur le sable de telle sorte qu'ils paraissent, de loin, n'avoir qu'un seul corps et deux têtes. Ils sont incongrus. On les a mis là pour les touristes qui repartiront vers l'Europe et ailleurs en racontant que les plages algériennes sont peuplées de chameaux! Moi, c'est la première fois que j'en vois sur cette côte.

Plus envie de tenir un journal comme si j'avais à remplir une feuille de température ou un ordre du jour.

Bénédicte m'a lu quelques passages de ce qu'elle a écrit depuis qu'elle est en Algérie. Elle parle de moi, de la mère et de la jeunesse.

C'est étrange, je suis venue en Algérie pour retrouver mes racines, mais elles tiennent si fort que je n'ai pas eu à les chercher longtemps et c'est presque immédiatement que le présent m'a attirée. Bénédicte, elle, est arrivée ici en terre nouvelle et la voilà partie dans une réflexion sur son origine, sur ses racines, sur son passé...

El Moudjahid d'hier titrait sur toutes ses colonnes : « Unité de vigilance autour de la Charte nationale et de nos acquis. » J'imagine les journaux français titrant tous ensemble : « Unité et vigilance autour de la Déclaration des droits de l'homme et de nos acquis. »

Quel bilan il faudrait alors faire!

Aujourd'hui *El Moudjahid* titre : « Nous œuvrons à réaliser une totale indépendance politique, économique et culturelle. »

En France un tel titre masquerait une grande hypocrisie ou démasquerait une imbécile innocence. Ne serait-ce qu'à cause du « nous ». Depuis quelques instants, je me demande comment employer ce pronom à propos du peuple français et je ne trouve que : nous sommes vieux.

Soixante-dix pour cent du peuple algérien a moins de vingt-cinq ans.

Envie de parler des femmes, envie de parler de la révolution. Pourquoi ne pas me laisser aller à cette envie? Parce que je sais que pour parler « sérieusement » de ces sujets il faudrait que j'emploie des mots théoriques, des mots techniques, que je tienne un discours que je ne veux pas tenir, un discours qui enferme, classe, organise, dépense et économise. Comment employer de tels termes pour parler des femmes et de la révolution? Moi, j'ai envie de mots flottants, d'images en mouvement... Encore une fois l'idée de la lecture paralyse mon écriture... Hier, en fin d'après-midi, Bénédicte et moi, nous étions seules en compagnie du barman, à boire une bière. Le coucher de soleil était magnifique. Nous le contemplions tous les trois sans parler. Tout à coup j'ai dit : « Le ciel est rouge, demain il y aura du vent. » Le barman a acquiescé et il a ajouté : « En arabe on dit : " Quand le ciel est rouge, selle ton cheval, mets ta gandoura et prépare-toi à galoper... " »

Des images. Le langage algérien fourmille d'images, celui de la Bible aussi. Ce sont les deux langages de mon enfance. J'ai besoin d'images pour comprendre et pour m'exprimer. Mon esprit progresse par illustrations juxtaposées. Ma pensée est une bande dessinée. En France on ne prend pas la BD au sérieux. Pour être sérieux il faut penser abstrait, parler abstrait, écrire abstrait. L'image c'est bon pour les enfants, les jeunes, les illettrés, les vieux qui ne peuvent plus lire parce qu'ils sont presque aveugles, et... les femmes (celles qui ne sont pas sérieuses).

Normal d'avoir envie de parler de la révolution. Ici elle est encore vivante, elle est proche. Dans toute conversation avec une Algérienne ou un Algérien, qu'ils aient quinze ans, quarante ans ou soixante-dix ans, arrive toujours une phrase qui commence par : « Depuis l'Indépendance », ou : « Avant l'Indépendance », ou : « Après l'Indépendance ». Mais chaque jour les éloigne de l'Indépendance. Maintenant ils ne font plus la révolution, ils l'organisent, mais ils ne le savent pas. Le peuple algérien est encore mobilisé, prêt à brandir ses fourches et à lever ses poings. Il ne se rend pas vraiment compte que les scribes se sont déjà installés, qu'ils ont placé leurs bureaux, leurs encriers, leurs porte-plume aux bons endroits et qu'ils sont en train de définir une fois pour toutes les institutions du peuple algérien. Va-t-il se laisser piéger lui aussi comme le peuple de 1789 ou celui de la Commune ou celui des « beaux soirs d'Octobre »?

Peut-on ne pas être piégé? L'Histoire est-elle toujours trop lourde? Pourquoi le pouvoir entraîne-t-il obligatoirement l'interdiction de choisir?

Ce que je ressens par moments, ici, c'est que le pouvoir a fait un choix au moment de l'Indépendance et qu'il a du mal à installer ce choix. Les réticences qu'il rencontre sont toujours interprétées comme étant des séquelles de la colonisation. Mais peut-être y a-t-il d'autres raisons à ces réticences. J'ai parfois l'impression que le pouvoir se questionne et qu'il existe encore en Algérie une réelle démocratie. D'autres fois j'ai l'impression que le choix du pouvoir a été fait une fois pour toutes, entraînant une certaine politique qui va grignoter rapidement la possibilité d'un choix populaire, qui va mettre des uniformes aux corps et aux esprits.

Ce qui me frappe c'est le nombre de conseillers étrangers, venus de l'Ouest comme de l'Est, qui sont ici. Ils viennent sur la plage les jours fériés ou passent à l'hôtel leur semaine de repos trimestrielle. Ils forment des groupes : les Polonais avec les Polonais, les Français avec les Français... Ce sont les colonies les plus nombreuses ici, à Tipasa. Quand ils parlent de l'Algérie ils prennent un ton paternaliste, protecteur, ils tiennent ce pays pour un pays assisté... J'ai déjà entendu parler comme ça de l'Algérie, avant l'Indépendance...

Je suis là, sur la plage, je regarde le grouillement des baigneurs aux corps bruns, je considère les coups de soleil de mes interlocuteurs, j'écoute leurs paroles compétentes et soi-disant bienveillantes, je pense à ce qui se passe dans les pays respectifs de ces hommes et je me demande comment ils peuvent avoir autant d'assurance. Le goulag, l'apartheid, les ingérences de la CIA, la planification de toutes les formes de racisme, la pollution, est-ce que c'est ça qui leur donne leurs certitudes?

Mais je ne suis qu'une femme et, de ce fait, je ne comprends probablement rien à ces graves problèmes.

En Algérie, quand on ne croit pas à ce que l'autre raconte, on tire sa paupière inférieure et on dit : « Tiens, mon œil. » C'est ce que je fais.

Les fourmis sont en train de bouffer le gâteau, excusez l'image.

3 juin

Vingt-quatre ans aujourd'hui que ma fille Alice est née sur cette terre, à Alger. Trois semaines après, je m'en allais sans savoir que je mettrais vingt-quatre ans à revenir. Aucun souvenir de ce départ, je ne pensais qu'à mon mari qui passait l'oral de l'agrégation en France et qui ne connaissait pas notre nouvel enfant. C'est tout.

Aucun souvenir non plus de ma dernière rencontre avec mon père. Où, quand, comment l'ai-je vu pour la dernière fois? Impossible de retrouver cette trace dans ma mémoire.

Alger...

Mon père...

Le personnage principal de mon prochain roman est un homme, un homme-père. J'ai du mal à construire ce livre parce que je ne sais pas ce qu'est un père. Je pensais trouver un peu le mien en revenant à Alger. Mon père n'est pas né en Algérie, mais c'est ici que je l'ai rencontré quelquefois et c'est à Alger qu'il est enterré. J'ai raconté ma visite au cimetière-jardin, depuis, mon père est léger à porter, je l'ai assimilé aux végétations, aux saisons. Peut-être qu'en rentrant à Paris je saurai continuer mon roman. *Inch Allah!*

Il y a vingt-quatre ans j'ai mis Alice au monde, facilement, heureusement. Je lui ai donné le nom de sa grand-mère née dans une ferme de la région de Mostaganem, dans le département d'Oran, en 1878.

Je viens d'une famille de femmes. Chez nous les maris mouraient jeunes ou s'en allaient. Mon arrière-grand-mère était veuve à vingt-quatre ans, ma grand-mère un peu plus tard, ma mère était une divorcée de vingt-huit ans. Quant à moi... je vadrouille.

Famille de femmes qui proliférait comme du chiendent sur la terre oranaise.

Je ne crois pas que je pourrai parler des femmes tant que je serai ici. Le sujet est trop cuisant, trop blessant, trop particulier, en Algérie. Toujours les regards des hommes sur nous comme si nous étions de la marchandise ambulante qui se juge, se jauge, s'évalue. Toutes ces mouches sur nous, sans arrêt, collantes, agaçantes, impression de n'avoir aucune liberté. Impossibilité d'exister dehors.

Nous n'osons pas faire à pied le petit kilomètre qui nous sépare des ruines romaines de Tipasa. Lieu superbe que je connais bien mais que ma fille ne connaît pas. Il nous faudra prendre un taxi. Si nous y allions, comme nous en avons le désir, en nous baladant, il ne nous arriverait rien de mal, mais nous serions ennuyées par une escorte de plaisantins égrillards, de chevaliers servants poisseux, de chicaneurs prétentieux, de protecteurs sentencieux. La barbe! De même qu'à Alger il est impensable de s'asseoir à une terrasse de café pour boire une limonade. Ce serait créer un attroupement. Il paraît qu'il existe des cafés d'étudiants où peuvent aller les femmes, mais je ne les connais pas.

L'espace vital se réduit considérablement pour une femme ici. Comme nous l'a expliqué un serveur hier soir : « Pour une jeune fille c'est la maison-le lycée, le lycée-la maison. Pour une femme c'est la maison, c'est tout. De temps en temps le hammam. » Un autre, auquel je faisais remarquer qu'il y avait très peu de femmes algériennes sur la plage : « Moi, ma femme, je l'emmène deux fois par mois sur la plage avec les enfants. » Je n'ai pas osé lui demander si elle se baignait ou si elle était là pour servir le pique-nique à tout le monde. On en voit quelquefois qui arrivent surchargées de couffins, le haïk en bataille, le hadjar de travers. Elles restent tout habillées sous le soleil de plomb à s'occuper des enfants, à préparer les repas. Elles ne bougent pas de leur place.

Bénédicte et moi, nous sommes sur la plage dans des costumes de bain une-pièce tout ce qu'il y a de plus corrects. Nous bavardons, nous écrivons, nous lisons, nous rêvassons. Autour de nous, au moins vingt paires d'yeux qui ne nous quittent pas...

Je remarque que les Algériens ont élevé des murs autour de maisons qui n'en avaient pas ou qui en avaient de moins hauts. Je pense que c'est pour garder les femmes. Bénédicte croit que c'est pour s'approprier les lieux.

Ce qu'il y a d'intéressant dans l'hôtel où nous sommes c'est que les employés et le personnel sont, en grande majorité, des stagiaires des écoles hôtelières. Ils viennent de tous les coins de l'Algérie, de Mascara, d'Oran, de Sétif, de Djidjelli, de Médéa, de Bougie, de Tizi-Ouzou, de Biskra, d'Alger, de partout. Ils sont jeunes : entre vingt et vingt-cinq ans. En parlant avec eux je me rends un peu compte de ce qui se passe dans tout le pays.

Sur la question des femmes j'ai trouvé peu de nuances : une Algérienne qui ne se conduit pas selon la tradition est une putain ou une folle. Je n'ai pu discuter vraiment qu'avec un seul d'entre eux. Il m'a dit, en conclusion : « Nous sommes la génération sacrifiée. C'est sur nous que se teste l'expérience. » J'ai demandé : « C'est intéressant? », il a répondu : « Oui. »

Je trouve qu'ils parlent plus franchement quand je dis que je suis née à Alger et que je me mets à mélanger trois mots de français, un mot d'arabe. Pour s'assurer que j'ai réellement quelque chose à voir avec eux, ils m'interrogent : « Alors tu sais faire le couscous? — Oui. — Fais voir comment tu fais. » Je me mets à déployer dans le vide les gestes qui servent à rouler la semoule, à l'asperger d'eau salée, je me brûle avec les grumeaux imaginaires qu'il faut défaire. « Alors tu es de la famille. » Ils rient, ils ne se moquent pas. Ils me situent toujours dans l'univers des femmes.

— Tu sais faire la *chorba?*

— Oui.

— Tu fais le ramadan?

— Non.

— Pourquoi?

— Parce que je suis pas musulmane.

Silence.

Que peut-on être quand on n'est pas musulman? Dans leur silence je crois que cette question ne se pose même pas. Ce qui n'est pas dans l'univers musulman est une curiosité, un défaut, une exception, une excroissance, quelque chose qui n'entre pas dans l'ordre normal des choses. De savoir l'Occident tout proche, l'Asie plus loin, l'Afrique fétichiste à portée de Land Rover, ne change rien. La socialisation de l'Algérie n'a rien changé à ça. Comment concilier l'islam et le socialisme? Les hommes disent que c'est possible. Et les femmes aussi...

Et s'il y avait une autre sorte de travail?

Et si la vie avait un autre sens?

Et si la contemplation était nécessaire?

Le cuisinier de la « poissonnerie » reste des

heures assis devant la porte de sa cuisine à regarder la mer. Le gardien des chameaux reste des journées entières accroupi sous les tamaris, seul, sans bouger. La jeune femme qui fait le ménage de ma chambre s'assied sur un tabouret quand elle a fini son travail et contemple longtemps les baigneurs sur la plage. Ni les uns ni les autres ne s'ennuient.

Comment concilier la lenteur nécessaire de ce temps-là avec les journées de la Production, leurs horaires précis, leurs cadences rapides?

Pourquoi les Algériens ne trouveraient-ils pas la solution?

Encore trois jours et je m'en vais. La plage est rose, la mer est turquoise, le Chenoua est noir. Je n'ai aucune envie de m'en aller.

4 juin.

Un peu le cafard. Pas envie de partir. Pourtant ma vie n'est plus ici et je n'ai aucune envie qu'elle y soit.

Apparemment le temps s'est mis définitivement au chaud. Ce n'est pas trop tôt.

Toute la journée j'ai été occupée par mes retrouvailles avec cette chaleur-là.

Brigitte, une amie belge, m'a dit l'autre jour : « Dans vos livres vous ne parlez que de la chaleur. Pourtant, en Algérie, il fait aussi rudement froid. » C'est vrai, en Algérie il fait très humide et on grelotte pendant au moins trois mois de l'année. En Kabylie il gèle et il neige. Mais ce qui compte, c'est la chaleur. Les végétations, les maisons, les rythmes sont faits pour le chaud, comme le Québec est fait pour le froid, même s'il y fait souvent très chaud en été. Les Algériens attendent l'installation de la chaleur comme les Québécois attendent l'installation de la neige, avec impatience. Alors qu'ils savent qu'ils vont en souffrir bientôt.

Aujourd'hui tous les gens que je rencontre déclarent, heureux : « Cette fois-ci, ça y est, l'été est là. »

Oui, il est là, je ne peux pas en douter, il a accroché ses griffes dans la terre et il ne va pas la lâcher avant le mois d'octobre. Je suis contente que Bénédicte le connaisse.

Quant à moi je suis étonnée du nombre de petits détails oubliés : le parfum des lauriers-roses surchauffés, le repos d'un mur blanc à l'ombre, le sable sur lequel on ne peut pas marcher, les chats et les chiens endormis sous les buissons, les odeurs d'égout, la nature qui grésille du bruit des insectes.

Tous mes sens alertés captent les signaux du bouillant qui n'avaient pas été émis depuis longtemps et qui retrouvent en moi, immédiatement, leurs salles de réception, leurs salles de bal.

Envie de sieste. Envie de bain. Je n'ai que ça à faire. Le paradis.

Oui, mais un paradis que je vais perdre bientôt. Et aussi un paradis où j'ai connu l'horreur. Paradis-enfer. Paradis à double face.

Pourquoi faut-il que j'attende aujourd'hui pour écrire mon émotion du premier jour, de la première heure, en voyant la Grande Poste?

Je me souviens, en l'apercevant, j'ai mis les mains devant ma figure. M. M. et son fils ont fait comme s'ils ne me voyaient pas. J'ai dû accomplir un effort énorme pour que ne se termine pas là, tout de suite, mon retour à Alger. Pendant cet instant, je ne voyais qu'une solution : fuir, repartir, il n'y avait que du passé ici, un passé qui me torturait. Le choc avait été violent et il m'a fallu plusieurs minutes pour que j'enlève les mains de mon visage et que je regarde de nouveau. Nous avions dépassé la Grande Poste.

C'est que rien n'a changé à cet endroit, impossible d'oublier.

Là, pendant la guerre d'Algérie, une voix jeune et affolée qui hurlait : « Cessez le feu! Cessez le feu! » Mais le feu n'a pas cessé. Tuerie de la foule à bout portant. Des corps, du sang, les gens qui marchaient dessus, dedans, les gens qui criaient, qui se sauvaient, qui tombaient. L'épouvante. Des tas de cadavres.

Là, au même endroit, il y a quarante ans, ma mère m'arrachait l'esprit...

Dans chacun de mes manuscrits je reprends un passage d'un manuscrit précédent. Pour faire la chaîne, pour indiquer que je n'écrirai jamais qu'un seul livre qui sera fait de tous mes livres. A moi s'imposent, cette fois, des lignes de *les Mots pour le dire :*

Tout son monologue, toutes les précisions, les révélations et les instructions qu'elle me donnait sur la condition des femmes, sur la famille, sur la morale, sur l'argent, c'est dans la rue qu'elle me les débitait.

Une longue rue en pente dont, comme par hasard, j'ai oublié le nom. Une rue qui allait de la Grande Poste à l'hôtel Aletti. D'un côté des immeubles et de l'autre une rampe qui surplombait la rue d'Ornano puis, à la fin, descendait à son niveau.

Une rue du centre, pleine de passants, de bruits. Ce que je voyais, car je baissais la tête pendant qu'elle parlait, c'étaient les dalles de ciment du trottoir et, sur ces dalles, les résidus de la ville : de la poussière, des crachats, de vieux mégots, de la pisse et de la crotte de chien. Le même trottoir sur lequel coulera plus tard le sang de la haine. Le même trottoir sur lequel, vingt ans après, j'aurai peur de tomber, acculée à la mort par la chose.

Elle s'était arrêtée et, ses deux mains gantées appuyées sur la rampe de granit, elle regardait loin, plus loin que la rue qui, en contrebas, ouvrait une tranchée rectiligne dans la ville, plus loin que le port qui, encore plus bas, hérissait la chevelure de ses grues dans le tintamarre de son activité, plus loin que la baie blanche de chaleur, plate comme un miroir, plus loin que les montagnes de l'horizon, elle regardait là-bas où les souvenirs sont intacts, conservés dans la glace du passé.

Si j'avais pu savoir le mal qu'elle allait me faire, si, au lieu de n'en avoir que la prémonition, j'avais pu imaginer la vilaine blessure inguérissable qu'elle allait m'infliger, j'aurais poussé un hurlement. Bien campée sur mes deux jambes écartées j'aurais été chercher en moi la plainte fondamentale que je sentais se former, je l'aurais conduite jusqu'à ma gorge, jusqu'à ma bouche de laquelle elle serait sortie sourdement d'abord comme une corne de brume, puis elle se serait effilée en un bruit de sirène et elle se serait enfin enflée en ouragan. J'aurais hurlé à la mort et je n'aurais jamais entendu les mots qu'elle allait laisser tomber sur moi comme autant de lames estropiantes.

Là, dans la rue, en quelques phrases, elle a crevé mes yeux, elle a percé mes tympans, elle a arraché mon scalp, elle a coupé mes mains, elle a cassé mes genoux, elle a torturé mon ventre, elle a mutilé mon sexe.

— Me trouver enceinte en plein divorce! Te rends-tu compte de ce que cela représente!... Je voulais me séparer d'un homme dont j'attendais un enfant... Tu ne peux pas comprendre... Ah! tu es trop jeune, tu ne comprends pas ce que je veux dire!... Mais il faut que je te parle, il faut que tu saches ce que l'on peut endurer pour une bêtise, pour quelques secondes...

« Écoute-moi : quand un enfant est bien accroché on ne peut rien faire pour le décrocher. Et un enfant ça s'attrape en quelques secondes. Tu me comprends? Tu comprends pourquoi je veux te faire profiter de mon expérience? Tu comprends qu'on est prise au piège? Tu comprends pourquoi je veux te prévenir? Tu comprends pourquoi je veux que tu saches et que tu te méfies des hommes?

« Moi, ma fille, je suis allée chercher ma bicyclette qui rouillait dans la remise depuis je ne sais plus combien de temps et j'ai pédalé dans les champs, dans la terre labourée, partout. Rien. J'ai fait du cheval pendant des heures : les obstacles, le trot — et pas enlevé du tout, je te prie de me croire. Rien. Quand je laissais ma bicyclette ou mon cheval, j'allais jouer au tennis, en pleine chaleur. Rien. J'ai avalé de la quinine et de l'aspirine par tubes entiers. Rien.

« ... Après plus de six mois de ce traitement j'ai été bien obligée d'admettre que j'étais enceinte, que j'allais avoir un autre enfant. D'ailleurs ça se voyait, je me suis résignée.

Elle me faisait face maintenant et, avec ces beaux gestes qu'ont les Blancs des colonies, ces gestes créoles dans lesquels se mêlent la retenue de l'Europe et la langueur des pays chauds, elle s'appliquait à glisser sous le ruban de satin qui tenait mes cheveux mes boucles de devant qui s'échappaient toujours.

— Finalement tu es née car c'était toi que j'attendais.

Finalement impuissante, résignée, vaincue, déçue et humiliée, elle m'a laissée glisser vivante dans la vie, comme on laisse glisser un étron.

C'est là qu'elle m'a abandonnée, au coin de la Grande Poste, dans la rue. Je me suis accrochée à ce que j'ai pu, à la ville, au ciel, à la mer, au Djurdjura. Je me suis agrippée à eux, ils sont devenus ma mère et je les ai aimés comme j'aurais voulu l'aimer, elle.

Pourquoi est-ce que j'écris cela aujourd'hui et pas au commencement de mon séjour? Parce que je n'étais pas sûre de nous, pas sûre de nous aimer encore, l'Algérie et moi. Peut-être que les années et l'Histoire avaient tout démoli. Mais non, je suis bien là, cette terre est toujours ma mère.

5 juin.

Urgence du départ, urgence de ma vie ailleurs.

Aujourd'hui est ma dernière journée pleine à Tipasa. Demain soir je rentre à Alger. Après-demain je m'en vais.

Le passé et le présent se mêlent de nouveau, à cause de la chaleur, à cause du départ.

Regrets de ne pas être allée à la ferme. Refus de ces regrets.

Aujourd'hui c'est jeudi, ce qui correspond au samedi en France puisque le vendredi est férié en Algérie. Il y a beaucoup de monde sur la plage.

Un homme est venu se réfugier sous le même abri de roseaux que nous. Il a du poil plein la poitrine, plein les épaules, ses cheveux sont lustrés, sa moustache est abondante. Il est un peu gras, un peu luisant; le genre redoutable, quoi... J'ai cru d'abord qu'il allait nous casser les pieds mais je me suis trompée, il cherche réellement un peu d'ombre et puis il a envie de parler. Et il parle, il ne s'arrête pas. Il est ingénieur, il a fini ses études et maintenant il fait son service militaire. Il se plaint de tout : du régime, de la bureaucratie, des privilèges, des profiteurs, de l'hypocrisie, de l'agriculture abandonnée : « On importe des tomates! », de la bêtise de l'armée, de la bêtise de l'administration...

De temps en temps je dis : « Si vous croyez que c'est mieux en France... », c'est tout ce que je trouve à dire.

Impression d'être enfermée dans un cube de béton. Le soleil nous paralyse dans l'ombre rectangulaire. Des milliers d'enfants s'amusent au bord de l'eau et dans l'eau, prolongeant la plage des grains noirs de leurs têtes. Des jeunes passent, en bandes, avec des transistors branchés sur Radio Monte-Carlo qui gueulent du disco.

Naïveté de mes espoirs, de mes engagements.... Il y aura toujours des nantis et d'autres qui se laisseront exploiter.

Je veux bien écouter cet homme qui parle clairement et calmement, mais je ne veux pas me résigner. Je ne suis pas venue ici pour me résigner, au contraire. Ce bonhomme me flanque le cafard. Est-ce que l'humanité est obligée d'avoir le cancer? Faut-il accepter plus ou moins hypocritement, selon que l'on est démagogue ou démocrate (ce qui revient souvent au même), qu'il y ait toujours des camps, des bidonvilles, des ghettos, des harems? Je ne peux pas me résigner à accepter l'exploitation sous quelque forme que ce soit.

Etre consciente d'être une femme c'est vivre la plus profonde révolte, c'est aller au-delà de la lutte des classes puisque les femmes de toutes les classes sont exploitées. Je vis dans cette révolte.

Au lieu de continuer à se gargariser avec les grands mots et les grandes idéologies qui font et défont des colons et des colonisés, cela avec une constance désespérante et au rythme inhumain d'une économie criminelle, pourquoi ne pas se mettre à parler du pouvoir? Uniquement du pouvoir : comment il est inévitable, comment il se prend, comment il s'installe, comment il blesse dès qu'il est installé, comment l'empêcher de s'installer.

La Révolution Permanente : quels mots! Mais ils ont déjà été récupérés, piégés, emprisonnés, par l'habituel aveuglement et l'habituelle avidité des pouvoirs. Pourquoi ne pas en trouver d'autres?

Il fait trop chaud déjà, accablant.

Soirée au village du Chenoua. Voiles bariolées dans le couchant.

Ici, au pied de la montagne derrière laquelle le soleil vient de disparaître, le crépuscule commence tandis que Tipasa, au centre de la côte arquée, rougeoie, cependant que la blancheur de

Zéralda, en face, est encore éblouissante de soleil. C'est beau, la terre est belle.

Sous le couvert d'une allée de cyprès, au bord de la route, des hommes jouent à la pétanque. Parmi eux deux vieux pieds-noirs qui n'ont pas voulu partir. Bruit des boules d'acier qui s'entrechoquent. Exclamations. Ils jouent.

Une femme met à cuire des galettes de pain dans un four d'argile conique. Je reconnais ses gestes qui aplatissent une dernière fois la pâte et l'enfournent sans se brûler. Elle clôt la fournaise d'une plaque métallique qu'elle entoure de haillons mouillés pour empêcher la chaleur de s'échapper. A peine vient-elle de s'éloigner que sa fermeture s'effondre dans un grand fracas qui ne la fait pas sursauter. Elle revient, remet la porte en place, tranquillement, et repart.

Sous une tonnelle, envahie par les liserons et le chèvrefeuille, j'ai mangé une de ses galettes, encore chaude à brûler les doigts; trempée dans le jus d'escargots sauce piquante, c'était un délice.

6 juin.

Faire les bagages. Ne pas laisser le chagrin monter jusqu'à la gorge en regardant la mer, les rochers rouges à droite, avec des lentisques dessus, le Chenoua à gauche, noir, la plage devant, qui brûle. Je reviendrai, il n'y a pas de problème.

Nager ici pour la dernière fois de l'année. L'eau efface tout. Elle lave, elle allonge, elle rafraîchit, elle rend heureuse. Je nage loin, je m'éloigne de la terre. La mer dans les cheveux, le long du dos, entre les fesses, sous les bras, en bouillons sous la plante des pieds, entre les doigts de pied. Je suis une fête foraine, un pavois. En mouvement, doucement, à la cadence lente de mon vieux crawl expérimenté. Nageuse de fond. J'ouvre les yeux dans l'eau turquoise brouillée de bulles et de débris d'algues. Tous les quatre temps, en prenant ma respiration, j'ouvre les yeux sur la côte qui s'éloigne chaque fois un peu plus.

Salut! Je m'en vais pour avoir le plaisir de revenir bientôt. Ce ne sera pas long.

La planche, histoire de se reposer, de se détendre dans le meilleur hamac du monde, le plus berceur, le plus douillet, le plus frais. Je ferme les paupières pour que le soleil ne me brûle pas dedans. Le monde est rose, veinulé de rouge avec des zigzagures d'or par moments. Le monde est une soie brodée. Le monde est un lit de coussins. Le monde est ma nourrice, il me tient en sécurité dans ses bras, il m'enchante.

A trois heures des amis viennent me chercher et me conduisent à Bérard chez des Français qui sont restés en Algérie. Rencontre avec une dizaine d'hommes et de femmes, tous pieds-noirs. Parmi eux une de mes camarades de classe. Son visage n'a pas changé à part que, maintenant, elle a les cheveux blancs. Marie-Thérèse et sa sœur Bernadette, oui, je me les rappelle, elles étaient pensionnaires.

Ils passent leurs week-ends ici, dans une partie des logements de leurs anciens ouvriers. Leur « maison » est en face, de l'autre côté de la rue, ils la louent. Eux se sont installés dans ce bâtiment sans étage, fait de la succession de trois ou quatre pièces, tourné vers un jardin clos. Un merveilleux jardin. C'est tout ce qu'ils ont conservé de leurs terres qui montaient jusqu'en haut des collines, ce lopin de terre qui doit mesurer une cinquantaine de mètres en longueur et une vingtaine en largeur. C'est un fouillis magnifique d'arbres et de fleurs avec, en ce moment, des volubilis qui grimpent après les roseaux de clôture, ponctuant les verdures de leurs pavillons bleu et mauve.

Je pense à ma mère; c'est ce qu'elle aurait voulu : rester ici avec un petit bout de terre et y faire pousser des plantes, y ménager des ombrages. Elle ne l'a pas fait. Elle n'a pas survécu.

Fermée, secrète, repliée sur elle-même, cette île du passé.

Ils m'accueillent avec chaleur et pourtant il y a comme une gêne entre nous. Ce sont des Martiens ou je suis une Martienne, je ne sais pas... Ils ont vécu tant de choses que je n'ai pas vécues, et moi tant d'autres choses qu'ils n'ont pas choisi de vivre.

Deux hommes reviennent de la pêche à la palangrotte. Ils sont partis depuis l'aube. Ils s'attablent sous un arbre. Les femmes leur servent des oursins, un aïoli complet auquel je ne peux pas résister, du vin rosé, des bouteilles d'eau fraîche. Ils racontent leur pêche. Ils sont rongés par le soleil et l'eau salée. C'est comme avant.

...

Ma famille déjeune à l'ombre d'un vieux mûrier touffu. Elle mange des œufs durs, des tomates, des oignons et des olives. Elle mange une friture de rougets frais pêchés. Elle mange une *tchoutchouka* bien épicée. Elle mange des nèfles et des pêches de vigne et du raisin nouveau. Elle boit du vin de l'année et de l'eau du puits. Ma famille parle, elle fait son histoire. Les femmes ont des robes légères, leurs bras nus sont dorés comme des pains. Les hommes ont des chemises ouvertes et des pantalons de toile blanche. Les mouches collent. Pour les chasser, des gestes balancés naissent d'eux-mêmes.

La petite fille attend la permission d'aller jouer au jardin, elle n'a pas le droit de parler à table.

...

Je suis fascinée et troublée : j'ai une telle tendresse pour ces gens et, en même temps, un tel recul.

Ils ne sont pas partis, eux, ils sont restés seuls pour conserver ce bout de jardin. Ils ont préféré la pauvreté et l'isolement. Ça n'a pas dû être facile. Il leur en a fallu de l'amour! Je les comprends autant que je ne les comprends pas...

Je n'arrive pas à établir un pont entre eux et moi. La seule véritable communication entre nous passe par le jardin : un hibiscus jaune, c'est rare. Les gerberas sont attaqués par les escargots. L'année dernière un énorme aloès avait poussé au beau milieu de la pelouse...

Après le déjeuner, allongés dans des transats, nous bavardons en buvant de l'orangeade. Nous parlons d'avant, d'il y a trente ans, d'il y a quarante ans, et même plus. C'est curieux, il n'y a pas de nostalgie dans leur ton, pas de regrets, pas d'aigreur. Aucune rudesse quand ils parlent des Algériens.

Je demande :

— Vous êtes devenus algériens?

— Ah non, nous sommes français.

C'était proclamé bravement.

Ils ont tout perdu ici et la France ne leur donnera rien puisqu'ils ne sont pas rapatriés.

Je ne suis pas restée assez longtemps avec eux pour me faire une idée de ce qu'ils sont devenus. Impression que rien n'a changé, qu'ils se sont mis eux-mêmes en conserve dans ce petit éclat de paradis.

J'aurais aimé que ma mère soit là, avec eux. Pas moi. C'est tout ce que j'arrive à formuler.

Retour à Alger en passant par le Sahel, empruntant des routes entre Méditerranée et

Mitidja. Un enchantement. Chemins encapuchonnés d'oliviers.

Un changement dans la coloration : souvent les céréales ont remplacé la vigne et les champs dorés, blonds, qu'on est en train de moissonner, ont remplacé les raies rouge et vert des vignobles.

Murs incandescents de bougainvillées.

Figuiers de Barbarie en fleur.

Alger de nouveau, escarpée. La baie pleine de bateaux. Brume de chaleur.

Le fait que je pars demain devient aigu, pique, pince. J'ai mal au cœur.

7 juin.

ALGER. L'avion. La FRANCE, Paris.

Deux petites heures de route. Deux mondes. Deux vies.

Ce qui me frappe, maintenant que j'ai fini de recopier mon texte et que j'ai repris mes habitudes européennes, c'est le tri que j'ai opéré en prenant mes notes. Au fur et à mesure que les jours de mes retrouvailles s'écoulaient, je recevais des images, des mouvements, des mots, des impressions, des sensations que je ne transcrivais pas toutes dans mon cahier. Cela, pas uniquement parce que je n'en avais pas le temps. Plutôt parce qu'il me semblait que certaines de ces informations faisaient partie d'une toile de fond, d'un ensemble, que je ne pouvais pas morceler et que je devais déterminer.

Il me fallait du recul. Je n'en prendrai pas beaucoup puisque je rendrai mon manuscrit trois semaines après mon retour. Mais certains blocs se sont, cependant, précisés.

En ce qui me concerne, je remarque que j'ai supprimé, dès le début, dès la vision de la Grande Poste intacte, tout ce qui pouvait me faire pleurnicher ou provoquer mes lamentations. C'était insupportable, ce bâtiment, ces rues, ces immeubles inchangés, témoins de crimes irréparables. Personne ne me rendra jamais mon esprit tel qu'il était avant que ma mère ne m'assomme, au tournant de ces marches. Personne ne rendra la vie aux cadavres entassés du carrefour.

Confrontée à ce lieu, ce nombril de la ville,

que j'espérais différent, modifié par les années, mais qui, dans la réalité, était le même, j'ai pensé suffoquer. Le style mauresque de la poste, le style Haussmann des maisons, les bananiers et les ficus du square, toutes ces vigies du passé n'avaient pas abandonné leur garde. Le cru, le vif, le sanglant, le cruel étaient là, dans la souvenance des pierres et du végétal. La désuète ville coloniale était là, dans la lente digestion de sa petitesse et de son étroitesse. Circulation dense des fantômes, lourde brise des chagrins, klaxons des frayeurs anciennes, tintamarre des cauchemars resurgis, trafic intense des amours blessées, je ne veux pas me laisser envahir par vous, je vous déteste, je vous hais.

Je ne saurais pas décrire le combat qui s'est livré en moi car ma raison ne s'en est pas mêlée. Mon instinct a fait monter mes larmes, a serré ma gorge, a crampé mon ventre et, avec violence, m'a délivrée. Mon désir connaissait mieux que moi-même son objet.

Inconsciemment donc, en quelques secondes, j'ai évacué ça dans la mémoire, j'ai chassé ça hors du terrain privé de mes souvenirs personnels. J'ai anobli ces assassinats.

Je voulais jouir d'Alger et de l'Algérie. Cette volonté de jouissance était énorme, je m'en rends compte maintenant. C'est probablement elle qui me faisait si peur avant de partir, elle qui m'a tenue si longtemps loin de ma terre. Toujours les confins difficiles à préciser où finit l'impudeur et où commence l'indécence...

Ainsi, dès la première heure, j'ai été libérée du passé. Il était là, partout, il aurait fallu que je sois aveugle pour ne pas le voir, mais il ne me pesait pas. J'étais certaine de ne pas être venue pour lui. Ce que je désirais retrouver était au-delà de lui, c'était à la fois plus ancien et vivant, je désirais retrouver l'essentiel de ce pays, son souffle, son feu, son dedans. Ils étaient là, intacts eux aussi, et je m'y suis livrée dans la joie et la sérénité.

Mille fois, chaque jour, le passé est revenu, sous la forme d'une fenêtre, d'une porte, d'un arbre, d'un visage, d'une perspective, d'un bruit, d'une odeur, d'une lumière. Il me servait à m'enfoncer mieux dans mon aventure, il m'aidait à assurer les prises de mon bien-être.

Une seule fois la cohorte des gémissements et des larmes de crocodile a failli prendre le dessus, c'était à Sidi-Ferruch. Parce que là nichaient la tendresse et la pureté de mes amours enfantines. Là étaient enterrées l'innocence de la petite fille, sa naïveté, sa découverte éblouie de la sensualité. J'aurais voulu que ce lieu reste beau, coloré, odorant, heureux. Ce n'était pas le cas. Tant pis, *inch Allah!*

Je crois que j'ai lâché la main de la petite fille en sortant du cimetière de Saint-Eugène. Ensuite je n'ai plus eu besoin d'elle pour me rassurer, elle m'a accompagnée simplement, comme une enfant avisée, une enfant sage, mais elle n'était plus moi-même.

Deux impressions persistent, surnagent, en ce qui concerne l'Algérie, la nation algérienne.

La première est une évidence mais c'est une évidence bouleversante pour moi : l'Algérie fait partie de l'Afrique!

Avant, l'Algérie faisait partie de l'Afrique du Nord, mais l'Afrique du Nord, ce n'était pas l'Afrique. L'Afrique du Nord était reliée à l'Europe par la Méditerranée; la France, c'était la plage d'en face, le drapeau bleu blanc rouge unissait les deux côtes. Aujourd'hui, l'Afrique du Nord est séparée de l'Europe par la Méditerranée!

L'Afrique du Nord était séparée de l'Afrique par le Sahara. Aujourd'hui, l'Afrique du Nord est attachée à l'Afrique par le Sahara. Le pétrole et l'islam ont bouché le grand trou du désert.

Pendant ces vingt-quatre années d'absence il

s'est passé, pour moi, ce bouleversement géographique-là. C'est idiot mais c'est comme ça.

Je me souviens d'avoir vu arriver à Ghardaïa les chameaux des caravanes. Ils s'affaissaient sur la place du marché, comme s'ils n'avaient pas pu faire un pas de plus. Ils venaient du Soudan ou du Sénégal. Ils étaient exotiques. Ils seraient venus d'Asie ou d'Amérique que je ne les aurais pas trouvés plus exotiques.

A Alger, au cours de mon séjour en lisant le journal, j'avais chaque jour des nouvelles de la Namibie ou du Zimbabwe, comme à Paris j'ai des nouvelles du Portugal ou de la Finlande.

Je découvre que l'Histoire fait dériver les continents mieux que la géologie...

La deuxième impression, tout aussi personnelle que la première (et peut-être tout aussi bête...), c'est que le peuple algérien attend que le socialisme l'enrichisse, mais au sens capitaliste du mot enrichir.

Au début, au moment de l'Indépendance, le socialisme, comme un père Noël, a comblé les Algériens. Ils ont occupé et partagé les richesses des Français. Richesses fabuleuses pour la horde de ceux qui ne possédaient rien, absolument rien. La révolution socialiste leur a offert de la terre et une maison, des poules et des chèvres. C'était miraculeux, merveilleux.

Maintenant, la population a doublé, tout ce qu'il y avait à prendre a été pris, il n'y a plus d'habitations pour tout le monde, et il n'y a plus à attendre que les colons s'en aillent pour que la misère soit moins lourde. L'espoir est dans le socialisme, c'est-à-dire dans l'enrichissement collectif. Je ne suis pas certaine que ces mots aient un sens pour le fellah. Je crois qu'il pense encore individuellement la richesse et que le mot propriété, pour lui, n'a rien perdu de son éclat.

Les Algériens sont accueillants, hospitaliers, amicaux, mais ils ne partagent pas leurs femmes, ils les cachent. Ils aiment le secret, l'intérieur. Ils aiment le dehors aussi, pour les palabres...

Une autre impression. Une certitude plutôt. Un poids, une masse, une rondeur, un équilibre en moi, un rire quand je pense à ce coin-là du monde : je l'aime.

BÉNÉDICTE RONFARD

AU PAYS DE MOUSSIA

Ça cafouille un peu dans ma tête. Liste d'attente... J'ai failli rater cet avion. Me voilà en route pour Alger, coincée entre deux regards braqués sur mon stylo qui ne pourra, par conséquent, qu'écrire des banalités.

Je pense à Moussia...

Je suis la seule de ses trois enfants à n'avoir jamais mis les pieds là-bas. Me demande qui je vais trouver, qui est Moussia à l'endroit d'où lui vient ce prénom. Qui sera Bénédicte face à elle, face à tout ce passé qui ne lui appartient pas et qui, pourtant, l'a nourrie...

Une masse blanche se dessine dans la brume. La route défile.

Une voix précise et claire se détache pour s'infiltrer dans mon regard absorbé et quelque peu cotonneux :

— Tu vois, ça c'était l'usine de mon père. Il y avait un grand mur avec CARDINAL marqué dessus.

Grisailles.

— Tu vois, je suis née là. Tu vois ce grand balcon qui fait le tour de cet immeuble... 24, rue Michelet.

La rue défile maintenant.

— Tu vois ce petit bois d'eucalyptus, c'est l'endroit où, pour la première fois, un garçon m'a embrassée.

Sourire-souvenir.

Quand je suis partie de Paris, je savais précisément ce que je venais chercher ici. Son visage m'a complètement déconcertée. Je m'attendais à trouver une femme grave, chargée de souvenirs, comme un chalutier, bord au ras de l'eau, prêt à s'engloutir. J'ai trouvé le visage de quelqu'un que je ne connaissais pas, le visage d'une enfant apaisée, euphorique. Elle est bien là. Elle a retrouvé les odeurs, les gestes, les rythmes qui lui étaient familiers, les gens, la mer, sa mer...

Peu lui importait le changement, ce qu'elle avait pu perdre, au contraire... Je sentais par son sourire pensif que chaque parcelle de trottoir avait son histoire, chaque maison un nom, une vie; c'était ça qui comptait.

Elle dit :

— Qu'est-ce que c'est ta ville à toi, celle où tu sens tes racines s'enfoncer dans un sol dont tu connais la couleur, la matière, l'odeur, celle où tu sens ton corps faire corps avec l'air, la végétation?

— ...

« Je sais pas. Lima, peut-être, parce que j'y ai vécu des choses importantes pour moi. Ou Lisbonne parce que j'y suis née et le peu que j'y ai vécu m'a laissé un goût du rythme, des percussions, de la musique de là-bas.

« Sinon, je crois que l'endroit dont j'ai gardé le plus de souvenirs d'enfant, c'est le square Renoir, la Porte de Vanves et ses HLM de brique rouge. Les loubards. Le lycée François-Villon. Le chemin de fer qui passait devant ma chambre et s'y arrêtait — parfois des heures — avant de mener les chevaux à l'abattoir.

« Ça hennissait là-dedans, ça foutait des coups de sabot tant que ça pouvait. Par dix ou vingt bestiaux entassés dans ces wagons-cercueils. C'était pas les chevaux qui galopent à travers la campagne algérienne.

Non, décidément, je ne me sens pas rattachée à une terre.

Dans ma vie il y a eu des plages qui se sont espacées jusqu'à l'horizon, sous des soleils carte postale, du froid, des villes populeuses et cradingues, du béton, de la gaieté, des squatts, des gravats entassés. Tout ça confondu d'histoires de Méditerranée qui revenaient comme le mouvement de la mer, comme des contes. Pour moi, ces histoires étaient un livre qu'on ouvrait, ç'aurait pu être la Mère Mac Miche, le Petit Poucet, ou la Belle au bois dormant. Tous ces contes étaient chargés de haine, de rêves et de passions.

Mais ça n'avait rien de palpable pour moi; chaque mot se transformait en images-odeurs, sensations-couleurs, venues de ma boîte à rêves, à trésors, à souvenirs, de ce que l'on appelle communément la boîte crânienne.

Mes racines ce sont les veines qui irriguent mon corps, les cellules de mon cerveau.

Je capte, j'absorbe.

Ma chair est ma terre, chargée d'une multitude de fleurs somptueuses, de mauvaises herbes, d'odeurs, de sensations. Par les canaux qui m'irriguent, les corps étrangers se sont multipliés, des débris de culture se sont accumulés pour former une autre culture.

Nouvelle race née de greffes naturelles ou artificielles, avec d'autres rêves, d'autres désirs, d'autres pensées sauvages, d'autres passions, d'autres haines.

Devant moi se dresse la baie d'Alger parsemée de bateaux. Ses flancs semblent ne faire qu'une seule masse blanche agglutinée, quelques toits rouges. C'est une ville pentue : chemins, ruelles, escaliers, rues, routes, en pente. Ça grouille d'hommes et de regards qui s'appesantissent sur un sein, un nombril, un cul qui s'éloigne.

Femmes masquées, femmes européanisées.

Serre les fesses et marche droit.

Les hauts de la ville appartenaient aux riches colons. Maisons superbes reliées les unes aux autres par des jardins-bouquets somptueux. A présent tout a été morcelé. Certaines baraques croulent, d'autres sont restées intactes, d'autres décrépies.

Pour moi, ça ne change rien.

Dans ma tête, Alger représentait la mère de ma mère.

La baie d'Alger serait le bassin d'une femme.

Ma tête s'embrume, ma tête s'embrouille.

Ma grand-mère était une sainte, ma mère est une enfant et je n'arrive pas à dormir. Escher semble s'amuser avec l'espace de mon crâne.

Moussia a adoré, idolâtré sa mère, puis elle l'a haïe.

Mère, face à la mer, comme un rocher contre lequel viendrait s'écraser la démence des fonds ou qui laisserait caresser ses flancs par un clapotis apaisant.

Et tu ne bouges pas... solide et imperturbable.

Me prendrais-tu dans ta bouche si j'étais un galet poli par le roulis régulier de l'eau, pour sentir la douceur et le goût de mes formes?

MAMAN...

Ma-ment.

Ma main cherche et s'éloigne de toi, maman, loin de ton vagin douillet auquel tu ne ressembles pas, ne ressembles plus.

Ton visage de mère a menti! Ton masque aux couleurs sereines voulait cacher le laid, le dur, le triste et l'angoisse de l'absurde. Tu m'as appris la tendresse de la complicité, l'amour avec sa beauté; mais tu m'as caché l'autre, et le mal de la solitude.

Parfois je te perçois, te sens, là où les tripes cherchent à crever ta peau afin que se répandent leurs couleurs et leurs puanteurs.

Accouchement de douleur, hara-kiri de vie.

De qui suis-je en train de parler?

Cassure.

Le premier jour où je suis arrivée, il faisait mauvais. C'était pas croyable, pas normal, on n'avait jamais vu ça, paraît-il. Il en fut ainsi jusqu'à hier, c'est-à-dire pendant quatre jours allant du moins au plus mauvais.

Décision d'aller à Chréa, dans la montagne, là où ma mère avait un chalet. Là où, avec ses copains de bonne famille, elle tentait de faire du ski. La neige était rare. On l'attendait en faisant de la luge dans les ravins, sur les aiguilles de cèdre. Jeux sains et sans danger, comme on peut l'imaginer. La grandissime piste de ski doit faire cinq cents mètres dans sa longueur et, disons, trente dans sa largeur. C'est à mourir de rire.

Ce qui est moins drôle c'est que je peux, grelottante, bras croisés, bien serrés contre le corps, voir à travers la brume s'épanouir le soleil dans la plaine... A croire qu'on m'a jeté un sort ou que le hasard fait trop bien les choses.

Mon Algérie vient de Paris, c'est celle que je connais le mieux et le moins bien, c'est Moussia voilée de ma mère. Mélange inextricable de la mère et de la femme-enfant qu'elle peut être. Dédale de foire transparent. Illusion de croire que je sais où je vais.

Ma mère est une forteresse ajourée.

Un pont-levis s'est ouvert sur une grille qui, mes deux mains accrochées aux barreaux, me permet de la voir : une bâtisse mastoque, imposante et claire. Je contemple les jardins qui l'entourent, la perfection des allées de fleurs, la puissance des murs aux paupières mi-closes. Masse qui semble immuable, invitation au calme.

Par le chemin qui longe le mur d'enceinte, j'essaie de trouver un passage. A travers les pierres descellées, par endroits je peux voir, derrière la maison, d'autres jardins. Gribouillis de ronces sur mes pieds, mes mollets, mes cuisses. Elles se resserrent et me barrent la route.

La trame du fil s'est coupé le doigt. Je ne sais pas, je ne sais plus. Vingt-deux années s'entrecroisent et choquent ma tête. Certitudes contradictoires.

Qu'était ma mère pour moi?

...

Un personnage que je regardais avec fascination, un pilier passionné, un flux de paroles divines et sensées. La vérité.

Ma mère était la vérité, c'était sûr, il n'y avait même pas l'ombre d'un nuage à l'horizon de ce ciel clair. Mes pensées ne pouvaient être que les siennes, mes mots les siens... Elle était belle, intelligente, drôle et tendre. Déesse au culte de laquelle je ne pouvais que me vouer.

Déesse fourbe malgré elle. Elle me donnait la parole et m'incitait à la parole, au dialogue... Mais les quelques failles qui auraient pu devenir des lézardes s'ouvrant sur d'autres horizons étaient tout de suite colmatées, expliquées. Elle s'est tellement battue, elle a tellement trimé, comme les premiers colons venus en Algérie, pour que les marécages deviennent un terrain praticable et cultivable pour nous, que ce sol est devenu une terre truquée dont je ne connaissais pas le truc.

Quand j'étais petite je ressemblais, physiquement, beaucoup à ma mère. Elle s'est par conséquent facilement identifiée à moi, avec son passé à elle. Sosie venue d'une autre planète, je me confiais rarement à elle.

Longtemps elle m'a impressionnée, au sens propre du terme, comme un tissu sur lequel on applique des motifs. Motifs reflets des siens, elle se voyait en moi mais je ne me retrouvais pas dans les paroles qu'elle m'adressait.

La couleur du fond n'était pas la même.

Je ne sais pas ce qui a, un jour, provoqué le doute en moi. Je ne sais même pas si ce doute n'était autre que le désir d'être plus belle, plus intelligente, plus forte qu'elle. Un soir, apparemment sans raison, j'ai décidé que je ne rentrerais plus. J'aurais été incapable de dire pourquoi. Je ne me suis même pas rendu compte du coup que j'allais porter.

J'avais trouvé la première faille.

Avec la cruauté la plus froide, par instinct de vie, avec acharnement, j'ai pioché dans ce mur, cette terre, pour que, enfin, sorte ma sueur.

La brèche ouverte, le sol éventré, l'inconnu m'a flanqué une gifle à me faire tourner la tête. La sueur avait effacé les motifs, je n'avais plus d'identité, je ne comprenais plus rien à rien.

Je n'avais qu'une certitude, celle qu'il fallait que je me jette dans ce néant pour y trouver je ne sais quel trésor.

Il y eut un tourbillon.

Depuis, je grignote ce sacré, maudit lien de viscères...

Petit à petit, j'ai découvert l'ampleur des mots. Pour chacun l'essence n'est pas la même, et pour cause... Comment le mot table, par exemple, peut-il avoir la même signification, la même portée, pour quelqu'un qui n'en a pas, pour celui qui la fabrique et pour ceux qui en ont toujours eu?

Pour moi, la découverte de cette évidence changeait tout...

Quand j'étais petite, je croyais que tout le monde pensait comme moi. Je n'évaluais pas le bagage du regard.

Quelle baffe!

Ainsi, je découvrais un autre sens au mot solitude que j'avais toujours assimilé à un plaisir. La solitude prit alors le visage d'un gouffre, insensé.

Quel dialogue de sourds! Mais au moins, je le savais. Ce qui n'était pas dédaignable et m'apprit ma différence, que je fouille toujours.

Depuis que je suis ici, en Algérie, et que je vois enfin le soleil blanchir et brûler les peaux, faire émaner le parfum des fleurs et des arbres, depuis que je sens le sable brûler mes pieds, la mer me caresser la peau et me saler les lèvres, m'inviter à faire corps avec elle ou jouer avec ma chair de ses remous doux, le vent se soulever en bourrasque chargée de sable, me cingler la peau, les Arabes, à l'ombre d'un eucalyptus s'arrêter dans leur route, s'asseoir et regarder un brin d'herbe, le ciel, une voiture qui passe, pour repartir, le moment voulu, vers leur but, je comprends mieux certains gestes, certains mots, une certaine sensibilité de ma mère parce que Moussia s'est précisée. Comme un coup de soleil ressort lorsque celui-ci se couche.

Sensation d'un train qui ahane sur les flancs d'une montagne.

S'essouffle en prenant le tournant.

Par la fenêtre de notre chambre, j'entends une trompette de jazz.

Radio.

Moussia, quand elle était plus jeune, était passionnée de jazz et de rock. Les week-ends, ils venaient, elle et ses amis, dans une de ces villas danser devant la mer.

Je regarde la mer et la couleur que le soleil donne au ciel en se couchant : « S'il est rouge, prends ton cheval et cours. »

Au contraire, s'il se couche en laissant l'horizon s'éteindre, comme une bougie qui s'achève, accordant sa place à la pénombre, puis au noir, c'est que la canicule s'abattra sur ta tête, sans le moindre souffle pour te rafraîchir.

Mets-toi à l'ombre et ne bouge pas.

Ce pays invite à la contemplation, à la rêverie.

« On verra... »

L'Occidental n'aime pas ça, l'Occidental ne peut pas comprendre ça.

Je pense à tous ces gens qui gardent leur dégueuli serré dans leurs entrailles, glacés et pétrifiés d'un renvoi qui ne sortira qu'au moment où ils auront bleui, enfin devenus ciel et mer, puis ils seront terre.

Leurs enfants continueront à voir pointer le béton, quadrillé de ses persiennes-paupières, habité de bouches bâillonnées, et leurs regards télévisés s'insurgeront pour demander moins d'heures de travail à la chaîne et plus d'argent afin de pouvoir acheter une plus grosse télé.

Surtout ne pas laisser l'espace s'installer.

Peur du vide où l'on pourrait se rencontrer... Comme le voisin d'à côté qui s'est d'ailleurs jeté du septième sur le parvis de la cité. Les paupières se sont alors toutes ouvertes laissant paraître une multitude de regards opaques dans lesquels plus rien ne pouvait se refléter, surtout pas leur identité.

Et ces chiens d'Algériens qui se laissent aller!

Je ne chante pas l'Algérie, je ne peux pas la chanter, je ne la connais pas. On m'a raconté celle d'avant-guerre, celle des grandes fermes aux milliers d'hectares de vignes, d'orangeraies, fabuleusement entretenues, celle d'une poignée de familles vivant peinardes dans leur conte de fées, avec une meute de chiens, à quatre ou à deux pattes, pour les servir. On m'a aussi raconté les Arabes à genoux, baisant le bas de la robe de mon arrière-grand-mère lorsqu'elle venait visiter ses terres.

J'adorais mon arrière-grand-mère telle qu'elle était. Pourtant, toute cette féodalité lui semblait être la moindre des choses.

Je me souviens que lorsqu'elle s'est trouvée rapatriée en France, sans femme de chambre, elle s'est rendu compte qu'elle ne savait pas s'habiller seule. Comme elle était d'une nature heureuse, elle fit ouvrir tous ses habits par devant pour pouvoir se débrouiller! Ce n'est pas si vieux que ça.

Et, quand aujourd'hui, je vois les gens de ce pays, désireux d'affirmer leur capacité, exercer, vers nous étrangers, un mouvement d'autorité injustement dirigée, même si je ne l'accepte pas et que cela peut me paraître odieux, je le comprends.

Ce pays, tel que je le vois, est un enfant battu qui fait ses dents.

Pourtant, j'ai envie de dire : reprends ton souffle au tournant, fais gaffe à ne pas ressembler ou être pire que papa et maman.

Mais encore une fois, je ne te connais pas. La seule chose que j'ai en commun avec toi, c'est la jeunesse de l'âge... Avec tout ce que cela représente comme difficulté à exister.

Avec aussi la possibilité de rêver et de faire de ce rêve une réalité.

Rêver d'un univers « autre ». Univers où l'hypocrisie serait gommée à jamais.

Utopie?

Comme un cauchemar, lourd de signification, fort de la profondeur où vont se terrer ses racines, dans une sensation de malaise indéfinissable, d'impuissance face à l'impalpable, face au silence du temps, vous absorbe et vous noie!

Cauchemar mensonge héréditaire qui, racines désembourbées et mises à jour, paroles dévoilées, apparaît enfin dans sa déconcertante simplicité. Alors compréhensible, il peut s'oublier, dévoilant un vide à combler, une terre labourée, prête à être cultivée ou à laisser les herbes et les fleurs sauvages l'envahir. Choix empoisonné.

Ne pourrait-on pas en faire un bouquet?...

Moussia est assise à l'avant de la voiture qui nous ramène vers Alger. Derrière, front collé à la vitre, je laisse mon regard s'infiltrer dans le paysage qui défile. Paysage de plateaux, de plaines, de montagnes. Toujours surprise de découvrir, au tournant d'une route, derrière un vallon, un nouveau paysage, une autre végétation.

Nous allons du presque pelé au touffu, de la vigne verte avec ses canaux sanglants, sillonnant cette terre rouge en un dessin précis, au blond, presque blanc des champs de blé et d'avoine lourds de leurs grains mûrs, en passant par des forêts odorantes d'eucalyptus, des routes bordées d'oliviers que j'ai envie de toucher tant leur perfection laisse à douter de leur authenticité, de véritables murs de bougainvillées sauvages, rose vif.

Incroyable diversité de couleurs, de plantes, d'arbres, de fleurs, d'odeurs. Ce que l'on retrouve partout, à intervalles réguliers, que ce soit dans la plaine ou dans la montagne, près d'un village ou sur une route-chemin qui se perd dans la campagne, ce sont les enfants qui brandissent, aux rares passants, un pain, des légumes, des fruits, du gibier ou quelques colliers faits de boules d'argile peinte, de coquillages, de pépins, de tout, de n'importe quoi. A la sortie d'un village, une fille nous tend un œuf en criant : « L'œuf de la poule, l'œuf de la poule! »

Le soleil se couche rouge aujourd'hui. Moussia ne me parle plus comme elle le faisait au début, le temps a passé, elle se retourne vers moi, regard sourire.

Sourire complice.

Je rêve. Chaos d'images qui se succèdent. La bille de la roulette se stabilise.

— Numéro...

Une plante que je n'avais jamais remarquée auparavant se détache des parterres rangés, impeccablement entretenus.

Mes deux mains accrochées aux barreaux, je l'observe.

Telle une anomalie dans un tableau parfait, elle va et vient, parfois se prend la tête. Je peux l'entendre soupirer et grommeler : « Non, non... » Puis sa voix s'estompe. Elle continue d'aller et de venir et semble tenir un discours essentiel avec les habitants de ce jardin, de temps en temps, elle jette un regard vers la bâtisse. Toujours :

— Non, non, je ne...

Je remarque à sa base une sorte de traîne, faite de longs filaments plus ou moins gros. Je regarde fascinée cette vision incongrue, à tel point que je ne me rends pas compte qu'elle s'est approchée de moi.

Maintenant qu'elle se dresse devant moi, pétales grands ouverts, je peux mieux voir l'extraordinaire diversité de ses couleurs. L'air s'est imprégné d'un parfum que je n'avais jusqu'alors jamais senti, dans lequel il me semble pourtant reconnaître certaines odeurs.

Images-odeurs, mots-couleurs...

« Non, non, me dit-elle. Non, ce n'est pas possible, je ne peux pas, je ne peux plus rester ainsi plantée, aux trois quarts enterrée, des jours entiers. (Me montrant sa traîne :) Mes racines étouffent, mes racines m'étouffent! » La bâtisse me fit un clin d'œil.

La plante me dit :

— Partirais-tu avec moi en voyage? Je te montrerais la terre qui m'a nourrie.

Je...

Secousse.

— L'avion est à onze heures, on n'a pas tellement de temps.

Le soleil est déjà presque blanc. Tête enrêvée, je m'assieds dans un de ses rayons qui filtre les carreaux jusqu'au centre de la pièce, se pose sur la table. Moussia aussi a les yeux gonflés de sommeil. Bâillements.

Mais, comme un train qui démarre et dont les roues crissent d'abord en un léger soubresaut, grincent jusqu'à attraper la première impulsion qui laborieusement s'accroche à une autre, puis une troisième jusqu'à battre régulièrement le rythme des kilomètres qui passent, l'atmosphère du départ prend pied sur la rêvasserie du matin.

Tout s'est alors précipité.

Avec un goût de café, de nèfles et de trop peu dans la bouche, je range la dernière brosse à dents.

Cigarette allumée, assise sur mon lit, j'ai du mal à laisser là, dans cet oreiller, ces draps, ma dernière nuit de songes, les matins de vague, toutes ces journées comme suspendues dans le temps.

Etrange mélange de déception et de joie.

Moussia devait venir seule en Algérie. Quelques jours avant son départ, elle m'a demandé de l'accompagner. Je savais l'importance, l'imminence de ce voyage pour elle. Cette demande eut en moi une résonance profondément gaie et grave.

Si je suis aujourd'hui heureuse, c'est parce que l'ébauche d'un personnage que je pressentais s'est, ici, précisée, me permettant de mieux comprendre Moussia. Et toutes ces informations reçues, en accroissant sa différence avec moi, sont venues nourrir une complicité naissante, complicité au-delà de celle qui existe entre une mère et son enfant. Complicité d'un être à un autre, difficile à acquérir lorsque ceux-ci ont eu un départ aussi nocif que celui, pour l'un, d'être sorti du ventre de l'autre, pour l'autre, d'avoir donné vie au premier, on s'y perd!

Il n'y a qu'ici, à l'endroit où en grande partie elle s'est construite, que je pouvais comprendre la couleur de ses mots, l'odeur de ses images... Mais le temps, comme ce rêve inachevé, ne m'a permis que d'effleurer du bout du regard un vaste pays, de distinguer des formes sans pouvoir les cerner...

Je souris et je ris en voyant Moussia, environ trois quarts d'heure en avance, à peine coiffée, veste déjà sur le dos, suivre un rythme effréné, ce qui a d'ailleurs le don de m'épuiser, allant d'une pièce à une autre, s'affairant à mettre les petits paquets dans les grands, comme si elle voulait que tout cela soit déjà terminé. Elle ne semble pas triste, mais ce n'est pas la peine de s'attarder...

Valises dans le coffre, rues et routes qui me sont presque familières.

Aéroport, enregistrement, au revoir, attente.

Léger fou rire dans un face-à-face avec l'organisation algérienne, se matérialisant sous forme de deux hommes qui apparaissent sur des chariots chargés de nos bagages. Doute. Ils les déchargent, calmement, consciencieusement, pour les placer, les uns à côté des autres, devant la salle d'attente qui donne de plain-pied sur l'aire de stationnement des avions. Confirmation. Nous devons, à la queue leu leu, prendre nos valises pour les charger dans les containers de l'avion.

Un spectacle étonnant, dont nous sommes malgré nous actrices, se déroule sur la rampe qui nous mène, disons, nous propulse dans l'avion. Avant-première des heures de pointe dans le métro à Paris. Embarquées dans une marée de gens qui se ruent, rient et gueulent, se bousculent et me marchent dessus. Je retrouve, l'espace de quelques secondes, le temps d'atterrir dans un des sièges proches, une pointe d'agressivité et d'énervement.

Enfin, nous décollons.

Alger rétrécit, les champs se font taches. Bientôt plus que le bleu de la mer. Les nuages...

Je pose à Moussia une question un peu conne, mais je ne sais pas comment la formuler autrement :

— Quel effet ça te fait?

— Ça ne me fait rien... C'est chez moi à nouveau. Je ne quitte rien, je sais que je reviendrai vivre ici un ou deux mois dans l'année. Je n'étais pas sûre de moi, j'avais peur d'être déçue, d'avoir magnifié, dans mon souvenir, l'amour que j'avais pour ce pays. Peur que mon amour se rattache plus à l'Histoire qu'au pays lui-même.

« Je sais maintenant que c'est bien cette terre que j'aime. Je me sens imprégnée de son odeur, de ses rythmes, de ses couleurs, de sa musique.

« Je me sens bien là, je suis chez moi.

Depuis longtemps, je pressentais, au-delà de la mère, une femme. Elle n'est plus la vérité. Elle est un être, avec toute sa peur et sa beauté, sa tendresse et sa dureté.

CET OUVRAGE A ÉTÉ ACHEVÉ
D'IMPRIMER LE 6 OCTOBRE 1980
PAR FIRMIN-DIDOT S.A.
PARIS-MESNIL

Imprimé en France
Dépôt légal : 4e trimestre 1980
N° d'édition : 5419
N° d'impression : 6854
ISBN 2-246-25210-5 luxe
2-245-25211-3 broché